陳慶浩・鄭阿財・陳義主編

越南漢文小說叢刊 第二輯 第二册

粵甸幽靈集錄

新訂較評越甸幽靈集

越甸幽靈集錄全編

越甸幽靈簡本

臺灣學生書局印行

《越南漢文小說叢刊》第二輯 前言

在《越南漢文小說叢刊》第一輯總序中，我們將越南漢文小說分成神話傳說、傳奇小說、歷史演義、筆記小說和現代小說五大類。並指出現代小說「是本世紀以來，受西方文化和中國白話文學影響而創作的現代白話小說，數量不多，勉強算作一類，可以算是上四類的附錄」。因此，在談到傳統越南漢文小說時，指的是前四類作品。但在《越南漢文小說叢刊》第一輯中，我們並沒收入神話傳說。主要原因是這類作品版本繁多而且複雜，當時我們並沒有掌握到充分的資料。《越甸幽靈集》雖已排好版，但發現有若干版本還沒收集到，校對稿不能呈現全書不同系統的面貌時，就決定撤版。提起這段舊事，還要感謝學生書局同仁對學術的熱誠，同意出版這樣一套冷門書本已不易，蒙受撤版損失亦毫無怨言。我們將神話傳說作爲本輯的重點，藉以彌補第一輯未能編入這類資料的遺憾。

神話傳說是民族精神之所寄，是民族早期歷史曲折的呈現；各民族早期歷史幾乎都是由神話傳說構成的，越南亦不例外。《大越史記全書·外紀·卷之一》的史事，就和本輯收入的《嶺南摭怪》大致相同。《嶺南摭怪》部份故事採擷自古代史書，而它又是後世史家汲取的對象。但不論史書還是故事書，源泉都是口頭流傳的神話傳說。《越甸幽靈》和《嶺南摭怪》是越南現存最古老、最重要的神話傳說集，就目前掌握到的資料，編纂成書當在十四、五世紀間。書編成後又屢經後人增添補續，互相引錄，形成了你中有我、我中有你的局面。其他故事集更是輾轉抄襲，增删重編。故研究者需將全部資料集中整理，方能觀其脈絡，見其演變之跡象。爲此，我們不單輯錄《越甸幽靈》和《嶺南摭怪》最早版本，亦兼容並蓄，將補續部分同時收入。對於不同系統的本子，雖故事相同而文字有較大差異，無從以校記錄入者，亦另行刊出，不避重複。蓋研究資料，不嫌其多，唯恐其不全耳。本輯收錄未全之資料，當收入後出叢刊中。

越南神話傳說讀起來特別親切：李翁仲固是耳熟能詳的人物，神龜築城之傳說既見於《華陽國志》，至今仍有故事流傳。〈鴻厖傳〉謂涇陽王娶洞庭君龍王女，使人想起唐人李朝威之〈洞庭靈姻〉（或稱〈柳毅〉、〈柳毅靈姻〉），以及由此發展出來的戲劇《柳毅傳書》。過往之論者以出現時代定先後，作爲《嶺南摭怪》所受中國文學影響之明證。我們認爲：與其說是互相因襲，不如指爲相同的來源。蓋神話傳說爲口頭文學，具傳承性、變異性諸特徵，不同時代不同地域者所記錄的同一故事，既有相同的母題，又有相異的情節。《嶺南摭怪》中，除了上舉三篇的某些情節，和中國古籍記載相合外，還有〈越井傳〉，與唐裴鉶的《傳奇》中〈崔煒〉一篇，有更多相同的情節。主角崔煒、配角鮑姑和玉京子等都相同，故事地點越井崗也是一樣的，可以看做同一故事的不同記載。《嶺南摭怪》記錄的是古代嶺南百粵民族的傳說，越南民族是百粵的一部份，越南和中國嶺南有相類甚至完全相同的傳說，一點也不奇怪。《越甸幽靈》既有地方的神祇，又有漢文化區共同的神祇，亦是很自然的。越南位於印支半島東部，印支半島是漢字文化圈和梵文文化圈的交接處，目前越南的中部、南部，過去是梵文文化區，一部越南國家發展的歷史，從文化的角度觀察，可以看作漢文化向南向西發展的歷史。正是在這一形勢下，越南所受印度文化的影響也是巨大的。《嶺南摭怪》的〈夜叉王傳〉是古代占城版的印度神話《羅摩衍那》，也是研究者公認的事實。

本輯刊出三種歷史演義小說：《皇越龍興志》是王朝歷史，《驩州記》是家族史，而《後陳逸史》則是地區性的個人的歷史。後兩者是王朝歷史的部份放大，而又可作爲皇朝史的補充。《越南漢文小說叢刊》第一輯中，我們刊出的三部歷史演義都是王朝史。《皇越春秋》記天聖元年（一四〇〇）至順天元年（一四二八）史事，《越南開國志傳》敍述黎英宗正治十一年（一五六八）至黎熙宗正和十年（一六八九）間阮氏崛起經過，《皇黎一統志》（又稱《安南一統志》）述黎朝景興三十八年（一七七七）至阮朝嘉隆三年（一八〇四）間史事，重點在敍寫黎朝覆滅的經過。本輯的《皇越龍興志》記景興三十四年（一七七三）至明命元年（一八二〇）史事，重點在阮朝興起的歷程。這四部王朝歷史演義，幾乎將越南自十五世紀至十八世紀的歷史，用小說的形式展示出來了。

《驩州記》（又稱《天南列傳阮景氏驩州記》）寫義靜（即古驩州）阮景家族前八世史事，特別是第五代阮景驩、第六代阮景堅、第七代阮景何、第八代阮景桂在「扶黎滅莫」，中興黎朝的功績，是一部以章回小說形式由本族後代修成的族譜，開創了「族譜小說」這一特殊的體裁，就我所知，在漢文小說世界中，這是前無古人、後無來者、別開生面的創作。

早期的中國歷史演義是藝人講史的底本，經下層文人整理成書的，有較多的民間通俗性。後來的歷史演義，有的已沒有經過講說的階段而直接創作，但一般來說，創作者都是下層文人，他們的歷史觀並不等同於官史。因而，在中國既有一套官方的歷史，又有一套民間的歷史；歷史演義是俗文學。越南的歷史演義，似乎都沒經過講史的階段而是直接創作。作者又都是較高層的官吏和文士。如果說早期的作品《皇越春秋》和《越南開國志傳》是後人據早斯史料重新創作，還有較明顯的接受中國漢文歷史演義如《三國演義》影響的跡象，有較多的故事性；後期吳家文派所寫的《皇黎一統志》和《皇越龍興志》，則是以史家修史的態度，用章回小說的形式寫歷史。《皇黎一統志》的作者，寫的是他們身經的歷史；《皇越龍興志》作者寫的，是家族上一兩輩人身經的歷史。這兩本書，歷史性勝過文學性。越南漢文歷史演義的作者，不論寫的是王朝史還是家族史，都自覺到在補官修史書之缺失，並在序跋中明確地說出來。越南漢文歷史演義不是通俗文學。

本輯收書十七種，分五册。其中《驩州記》、《後陳逸史》、《雨中隨筆》、《喝東書異》、《敏軒說類》五種是越南社會科學院漢喃研究所同仁校定的。《嶺南摭怪》最早的版本二卷本是漢喃研究所陳義教授整理的，後續的本子則是臺北中國文化大學朱鳳玉教授和蔡忠霖先生校點的。其它十一種書都是中國文化大學中文研究所越南漢文小說校勘小組師生校點的。各書校點者芳名，標於該書扉頁。越南漢喃研究所參與本書的工作，是由陳義教授組織安排的。中國文化大學中文研究所越南漢文小說校勘小組由鄭阿財教授領導。越方負責的六種書，除校勘標點外，又撰寫出版說明。撰寫者芳名附於文末。其中《後陳逸史》、《雨中隨筆》和《敏軒說類》出版說明用漢文撰寫，其它三種用越文。越文出版說明是由北京大學東語系顏保教授和他的高足盧蔚秋、田曉華、雷慧翠三位女史翻成漢文的。四位並翻譯本輯各書及其作者的相關越文資料，供撰寫出版說明時參考。本輯所有喃字，都是顏保教授翻譯成中文的。巴黎的劉坤霖先生也從越文翻譯若干參考資料，於此一並致謝。本輯各書正文、校記及出版說明，都由我和鄭阿財兄審訂，並作成定稿。這套書是臺北、河內、北京和巴黎四地研究者協作的成果。

《越南漢文小說叢刊》第二輯得以順利出版，首先要感謝法國遠東學院院長汪德邁（Vandermeersch）教授。和上一任院長一樣，他贊同我所提出的漢文化整體研究的構想，接納我在遠東學院建立漢喃研究小組的建議，使得越南漢文小說研究計畫，成爲學院研究計畫的一部分，因而得以充分利用該院的資料和設備。由於遠東學院的資助，陳義教授和顏保教授得以從東方來巴黎和我一道作短期合作研究。遠東學院繼續與學生書局合作出版這套叢書。

我還要感謝越南社會科學院漢喃研究所的合作，提供本輯部分資料。感謝漢喃所同仁陳義、黃文樓、臨江、范文深四位先生和阮氏銀、阮金鶯兩位女士參加本輯的工作。

越南漢文小說的整理和研究是法國遠東學院和漢喃研究所的合作研究計畫，並已成爲法國和越南文化交流的一個項目。這套書是這項目的一個成果。

《越南漢文小說叢刊》第一輯是王三慶教授所領導的，中國文化大學中文研究所越南漢文小說校勘小組成員協作編出來的。三慶兄後來應邀去日本天理大學任客座教授，得以收集日本漢文小說資料，和我合作編纂《日本漢文小說叢刊》，故改由鄭阿財教授領導校勘小組，負責第二輯的編纂工作。參加本輯工作的，有朱鳳玉教授、張繼光、陳益源、蔡忠霖先生和汪娟、吳翠華小姐。我也於此致謝。

《叢刊》第一輯出版後，得到社會的鼓勵，除了有不少書評外，又獲得當年行政院新聞局頒贈的圖書類圖書主編金鼎獎。但銷路奇差，估計至今還未能還本。而臺灣學生書局諸位執事先生，本著對文化的熱忱，明知要擔負虧損的風險，還毅然繼續出版這一套書，這是我深心感激的。

兩年半前，我以〈十年來的漢文化整體研究〉爲題，爲陳益源兄的《剪燈新話與傳奇漫錄之比較研究》寫序時，對漢文化整體研究的意義說過一段話，我覺得還能代表我目前的看法，抄錄下來供參考：

隨著科技的發展，世界各地已可以朝發夕至了。人類生活在一個小小的地球，歷史產生出來的國家，以及由國家產生出來的種種問題，又在新的歷史形勢下發生變化。歐洲十二國組成的共同市場，將在一九九三年起消除國界，並可展望將由經濟的統合發展到政治統合。政治家們已為二十一世紀提出歐洲聯邦的構想。產生兩次大戰的歐洲在合作情勢下，消弭戰禍於無形。反觀東亞，歷史上有過多少次大大小小的戰爭，即到當代還沒有停止過。歐洲的和平合作，為我們提供一個榜樣。通過經濟上政治上的合作，一個東亞聯邦，是不是也可在下世紀產生出來？從國家向超國家的聯邦整合，是當前歷史發展的方向，不能順應此一形勢的，在一個充滿競爭的世界中，將被拋到後頭。而漢文化區是東亞的支柱，未來東方的整合，會從漢文化區開始的。畢竟有共同的文化背景，有同質的價值觀人生觀，彼此的了解和合作是較自然的。漢文化的整體研究，正是為東亞未來的合作，墊個穩固的基礎。這就不單是學術研究的意義了。

當前西歐在加快整合的速度，歐洲共同市場各國紛紛在批准馬斯垂克條約，西歐將由經濟的整合發展到政治的整合，有單一的市場、共同的貨幣和整體的外交政策，甚至有統一的軍隊，北歐和東歐各國，亦都表示加入此一共同體的意願，有些國家如瑞典、瑞士、挪威等正申請加入此一共同體，而美國、加拿大和墨西哥，亦宣佈組成單一市場。面對這樣的形勢，東亞諸國，特別是漢文化區諸國，又將何去何從？

是爲序。

陳慶浩

一九九二年九月於巴黎

《越南漢文小說叢刊》第二輯　校錄凡例

一、本叢刊所編小說一律選擇善本作爲底本，各本文字則據底本原文迻錄。

二、除底本外若有其他複本可資參校者，則持以相校；其有異文，則擇善而從，並出校記說明之。

三、若文句不順，且乏校本可據者，爲使讀者得以通讀，則據文義校改，並出校記說明之。

四、凡爲補足文義而意加之文字，則以〔〕號括別之。若爲原文之錯字、別字，則於注通行正字於原字下，並以（）號括別之。

五、凡底本或校本俗寫、偏旁誤混之字，隨處都有，此抄本常例，則據文義逕改，不煩另出校記，以省篇幅。

六、又迻錄時，均加標點分段，並加人名、書名、地名等專有私名號。

七、凡正文下雙行註文，一律以小字單行標示。又正文有眉批者，則於適當字句下加註說明。若眉批不屬於某一字句者，則於各段後加註說明。

八、凡正文中，偶有喃字，一律譯成漢字，並將原文錄入註中。

粵甸幽靈集錄

目錄

粵甸幽靈續集

新訂較評越甸幽靈集　目錄

卷二

歷代人臣十一廟……八三

卷二

卷四

以上四卷共肆拾壹記錄傳譜

一、舊本所載，如士王、徵女、王昭正夫人、李校尉、傘圓王四位聖娘、朔天王諸記，俱已詳註在嶺南摭怪錄，不必重載，仍削之，以便一端。

一、舊本先以王名首記其目，非筆法也；今姑以地名記其領，次將平生事業語其詳，後以英顯受封始書王字稱焉。此欲遵紫陽朱公之筆法也。

一、舊本有世代未明，年紀未合，今查國史及歷代世紀、與集攬、摭怪等記，訂正改定，以準一揆。

以上諸跡並已修整完備，仍例于前，庶免疑惑云。

越甸幽靈集錄全編

目錄

歷代帝王　舊作人君附后妃。

歷代輔臣 舊作人臣

灝氣英靈

續補

重補

翰林院行國威府知府高輝耀久照甫補註幷評。

越甸幽靈簡本目錄

朱鳳玉　校點

粵甸幽靈集錄

粵甸幽靈集　出版說明

在越南漢文小說中越甸幽靈集與嶺南摭怪同屬神話傳說之名著。其編寫的時代早，流傳也廣，因此往往爲其他書籍所引用，或據以增刪改易，或持以增補續編，以致傳本衆多，卷帙多寡不一，內容繁簡有殊；而作者問題亦因之而糾結不清，以致衆說紛紜，莫衷一是。唯各本均有李濟川序，此序寫於一三二九年，其序文曰：

古聖人曰：「聰明正直足以稱神。」非淫神邪祟者得濫稱焉。我
皇越宇內，廟食諸神，古來多矣，求其能彰偉績陰相生靈者，有幾名哉？然其所從來，品類不一，或山川精粹，或人物英靈，騰氣勢於當時，縱英靈於未造。若不記其實，則朱紫難明，且隨其淺見卑聞，筆札於幽部，苟或好事者，倘屬正緒，是所望也。
開佑元年春正月上日序。
大藏書大正掌中品奉御安越還路轉運使李濟川謹序

歷來學者均認爲：現存最古的越甸幽靈集，原爲一卷，計二十八篇，乃陳朝人李濟川所撰。其內容乃記載有關越南各地諸神祠廟之靈驗異事。潘輝注在歷朝憲章類誌·文籍誌中有著錄。而黎貴惇（一七二六—一七八四年）見聞小錄卷四中有云：

陳開祐初，奉御李濟川撰越甸幽靈一卷，記諸神異祠廟；歷代帝王八，人臣十二，灝氣事跡……，辭整事核，亦良史才也，其中引曾兗交州記，杜善史記與報極傳，今皆不傳。

關於越甸幽靈集錄的正文部份，依據黎貴惇及潘輝注之所述，則最早的越甸幽靈集爲李濟川所撰，計二十八篇，其內容爲：

一、歷代帝王

嘉應善感靈武大王（即士王）
布蓋孚佑彰信崇義大王（即馮興）
明道開基聖烈神武皇帝（即趙越王趙光復）
英烈仁孝欽明聖武皇帝（即李南帝李佛子）
天祖地主社稷帝君（即后稷）
制勝二徵夫人（即徵側、徵二）
協正祐貞烈眞猛夫人（即媚醯）

二、歷代人臣

威明勇烈忠佐聖孚佑大王（即李晃）
校尉英烈威猛輔信大王（即李翁仲）
太尉忠輔勇武威勝公（即李常傑）
保國鎭靈定邦國都城隍大王（即蘇瀝）
洪聖匡國忠武佐治大王（即范巨倆）
都統匡國佐聖王（即黎奉曉）
太尉忠慧武亮公（即穆愼）
卻敵善佑助順大王（即張吼）

威敵勇敢顯勝大王（即張喝）
證安明應佑國公（即李服蠻）
回天忠烈威武助順王（即李都尉）
果毅剛正威惠王（即高魯）

三、英靈灝氣

應天化育元忠后土地祇元君（即后土夫人）
盟主靈應昭感保佑大王（即銅鼓山神）
廣利聖佑威濟孚應大王（即龍肚王氣神）
開元威顯隆著忠武大王（即開元神）
沖天勇烈昭應威信大王（即扶董土地神）
傘圓佑聖匡國顯應王（即傘圓山神）
開天鎭國忠輔佐翊大王（即騰州土地神）
忠翊武輔威顯王（即白鶴土地神）
善護靈應彰武國公（即海清郡土神）
利濟靈通惠信王（即州龍王神）

以上計歷代帝王八位，歷代人臣十二位，英靈灝氣十位，總計三十位。其中徵側、徵二兩位夫人合爲一篇，卻敵善佑助順大王張吼與威敵勇敢顯勝大王張喝二兄弟亦合爲一篇，故總數爲二十八篇，此乃越甸幽靈集之最初面貌。每篇內容，首敍該神之略傳，次述其顯靈事跡，最後則記其褒封之名稱。對於敕封之時，僅略記年號，而乏詳細記載獲封年代。又各篇之神靈皆出現於陳朝以前，而且各篇都記明原出自何書，令人讀之倍感可信，如：趙公交州記、曾袞交州記、報極傳、史記、大越外史記、杜善史記、交趾記……等。

越甸幽靈集除正傳二十八篇外，後世亦相繼出現一些補續或續集，大部分都記明爲阮文賢（號銳軒）所著，有數處則記明爲阮文質所撰。但由於流傳久遠，傳抄、續補、重補、補注、評注者相繼出現，以致版本情況極爲複雜。根據學者研究，今所知藏於河內漢喃研究所的越甸幽靈集計有五個抄本，其情形大略如下：

1編號A.47版本：全書計二十八篇，此可能爲李濟川所編之部份；其後還有續集篇，則出黎朝時人阮文質之手。但由於原本注有國子監阮文賢，號銳軒著，因此亦有人以爲出自阮文賢所爲。按考諸其他史書，均未見阮文賢作過上述官職，只見阮文賢任官職於百神部份，主管抄錄神敕、神跡，他生於十八世紀，其名常與阮炳雙雙同列，在征王功臣相公大王玉譜錄中阮炳曾注：「管監百神少卿知殿雄嶺阮文賢奉抄。」「賢」、「質」字形相近，且二人均係黎朝時人，因此可能是後人抄錄時誤抄所致。而阮文質，在越甸幽靈集中有一處清楚地記載說他是撫秦白鶴縣，黎仁宗時代，太和時人。

根據歷朝登科備考（搜集上，第六十葉）所載「阮文質，撫秦白縣（富蓋附近）人，太和六年（一四四八），二十七歲舉進士及第，後官至國子監司業同修國史，黎聖宗時代，公爲參政於宜安，不久，獲召回朝廷任都御使，約於洪德年間，公被舉出使中國，後官至尙書，爲續越甸幽靈集之作者」，大越史記全書第十三卷，洪德十一年（一四八〇）亦記載「多，十一月十八日，遣陪臣阮文質、尹宏濬、武維教歲貢於明，並奏占城事。」因此我們可確實地說：現存最古之越甸幽靈集，原正版二十八篇爲陳朝人李濟川所著，續集共四篇，爲阮文質所著，越甸幽靈集全部及續集，約於十五世紀時，由阮文質編撰；全書共三十二篇。

2.編號A.1919版本：爲一舊本之重抄本，與編號A.47本相似，但此本抄寫精細，字體精美，還記載抄寫人爲裴輝春；後附有洪順五年（一五一三）題書之序文，及編撰人黎似之之署名，因此我們可以認爲此越甸幽靈集錄本是由黎似之根據以前已有之舊本來編撰的，並添加乾海四位聖娘一篇，此篇共四個故事，全集共計三十三篇。

3.編號A.751本及編號A.2879本：編號A.751本書名題爲越甸幽靈集錄全編，而編號A.2879本雖無「全編」二字，但細閱此二本，則不難發現其內容是相同的：正文部份，包括李濟川所編之二十八篇，是由一位名金冕靺的抄錄，但沒有記載有關此人的情況，不知金氏生於何年何代，而「按錄」過哪一部份？根據書中所題官職名稱，則金氏可能與李氏爲同時代人，即陳朝人。

編號A.751本中有一行字說明是景興三十二年（一七七一）抄，並由黎有喜作，黎有喜字純甫，署名進修軒，寮舍鄉人，政和二十一年（一七〇〇）庚辰中進士，官至監察御使山西督同，除正文部份二本有如上述相同外，此本尚有重補部份及三清觀道人所作有關增補部份之跋文。

此二本的共同內容，各篇都有「僭評」，雖然A.751本中無任何文字談及「僭評」爲何人所作，但在A.2879本中則清楚地我訴們「僭評」出自高輝耀之手。高輝耀號無雙，別號紅桂軒，爲今河內郊區之嘉林縣富市鄉人，嘉隆六年（一八〇七）舉鄉試科首，任職於國子監，爲升龍城督學，後升任尚書之職，嘉隆至明命年間仍在世。在其他幾個抄本中，將「耀」字錯寫爲「濯」字，致使誤認爲「僭評」是高輝濯所作，卻是一大錯誤。產生此種錯誤是因爲高輝濯與高輝耀同是姓高，又屬同一個家族。但輝濯比輝耀早生一個世紀左右。永盛十一年（一七一五）時年三十五歲，乙未科中進士，後亦官至尚書，由於兩個版本（編號A.751及A.2879）在士燮傳中都附錄了三亞廟中的兩篇碑文，其中一篇爲阮光皓所作，阮光皓後改名爲阮公皓，杰特（海陽）鄉人，政和十二年，辛未科中進士；另一篇爲阮廷簡所作，阮廷簡號拙齋，永治（清化）鄉人，景興三十年（一七六九）進士及第，黎昭統時（一七八八）任兵部尚書，獲封侯爵。最後爲三清觀道人於己未年所作之跋文。三清觀道人是吳甲豆（一八五三—？）成泰三年（一八九一）中舉人，則此己未應爲啓定十四年（一九一九）。因此，我們可以確定號（A.751）及編號（A.2879）兩本越甸幽靈集錄全編是十九世紀初左右，在嘉隆和嗣德年間的作品，在作僭評時，已多少被修改過，到一九一九年，又經吳甲豆校正，和添加重補部份。有一點值得注意的是編號（A.2879）是一本假冒古字之版本，不能算是古本，也不是在紹治年間（一八四一—一八四七）抄錄之古本，但書中之字體書寫工整，秀麗，遠勝於編號（A.751）本是無疑的，全書凡三十三篇。

4.編號A.335本：此本書名題爲新訂較評越甸幽靈集，此本比他本之書名多加「新訂較評」四字，此四字意味著：此本與早期之各本在內容上不盡相同，此「新訂較評」本有許多值得注意的地方：

(1)封面上題有「第二奇書序」字樣，其內容與其各本所載李濟川所作之正文內容相似，只是新加「第二奇書」四字而已。

(2)此本加錄了景興年間任禮部主簿之諸葛氏在甲午年（一七七四）年所作之序文。

(3)此本各篇之諸神，不但數量比其他各本多，而且篇名及排列次序亦與其他各本有所不同。有關篇名，即使是舊有的故事，亦以一法則加以更改，據序文所言，編者對篇名加以更改，因此對其內容亦加以修正。

此外，我們從諸葛氏的序文中，亦可對新訂較評越甸幽靈集成書的情形略窺一二。茲逐錄其序如下：

序文

斯集之作，出自李朝，先自黎文休之筆，以紀其事。歷世沿革，其略未備。蓋我越在其昔之時，俗尚清簡。政化出於渾然，文教起於樸野；華辭艷句，靡所見聞。茍得其餘，僅采俗傳口話之著述耳！然詳考窮究，且尚未盡先民之跡，而語有甚迂闊，有難曉明，刻柳無枝，曷可指示後來之判決也？逮至陳朝，李生再續其尾，旁求廣采，緝成其錄。閒軒調理，數十餘載，研求秘究，良苦寸懷，所得之餘，亦不過是。用功雖倍，較究難明，第俚說野記之未精，諺語俗辭之未曉；隱隱揣臆，魚魯之謬，亦未得盡妙也。然推確其所以，似可想見，使其不愧下詢，叩隱逸之遺賢，其所得豈止如此而已耶？噫！作之於前，述之於後，亦可謂有心於名教矣。余生不逢時，屢遭其世變，閒窗危坐，以濟天心。時適癸亥仲秋，偶適外家郭生之舍，箱藏斯集，輒以示余。余袖回私第，以便閱覽。見其中多有未穩，因此用心廣搜遺逸，博采百家，較比平分，發明其領。凡瞳矇難稽諸事，可筆則筆之，可削則削之，要使其旨周流，首尾相貫，脈絡接續，以便耳目之間耳！蓋欲公之天下，洞知古今名跡之勝，豈敢有一毫私意於其間哉？是以不嫌淺陋，冒引其原，以俟後之博彥，參訂其辭，而準約之。是幸。

景興甲午秋中澣日序

禮部主簿鴻都諸葛氏謹頓序

總言之，編號（A.335）本新訂較評越甸幽靈集是由號稱諸葛氏於一七七四年在舊有的越甸幽靈集基礎上，再行編寫的。參考嶺南摭怪進行重編。除舊有之各篇外，作者還加抄了另外十篇左右，如摘自其他各書的李帝之子靈郎傳，摘自嶺南摭怪的范巨諒傳，摘自鄧明謙之脫軒詠史的龍廷對誦，諒山淇窮（按：淇窮爲越北河流名），摘自阮嶼之傳奇漫錄的故事，等等……共計四十一篇。❶

綜上以論，我們似可得到一可靠而確實的說法，即：現存最古的越甸幽靈集，原爲一卷，計二十八篇，乃陳朝人李濟川所撰。其續集共四篇，則爲阮文質所補。越甸幽靈集全部及續集，則大約在十五世紀時，由阮文質所親手編纂的；全書共三十二篇。景興中諸葛氏曾進行重編而成四十一篇的新訂校評越甸幽靈集。嘉隆、嗣德年間有高輝耀「僭評」，到一九一九年又經吳甲豆校正並加以重補，而有越甸幽靈集錄全編的出現。

越甸幽靈由祭祀官編纂成書，其意當在表彰祠中所供奉之諸神。而越甸幽靈與古代史書有相互轉抄之現象，猶具深意。越甸幽靈與嶺南摭怪曾均被古代史學家用作寫史之材料。吳士連在大越史記全書的補記部份（一四七九）即曾根據上述二書的材料來補充過去正史所無的記載事跡；所以大越史記全書以及後來的一些史書中，我們可以看到一些事或多或少與越甸幽靈、嶺南摭怪的故事是相同的。

此次整理越甸幽靈集，共計四種抄本，玆分別略述如下：

一、此本原馬伯樂（H. Maspero）所藏，現存法國亞洲協會圖書館，編號H. M.2119。此本凡二十五葉，每半葉八行，行二十六至二十八字不等。封面署「粵甸幽靈集錄」，前有李濟川序，題作「皇陳開祐元年己巳孟春上澣守大藏書文正掌中品奉御安路轉運使李濟川敬序」內容計收錄「歷代人君附后妃」八傳，「歷代人臣」十一傳，「浩氣英靈」十傳等。李濟川之正傳二十八篇，及國子監司業阮文賢增補之「粵甸幽靈續集」四傳。審其內容似與前提1編號A.47版本相同。

二、此本現藏河內漢喃研究所，編號爲VHV1285/1。此抄本計全編八十六葉，續補六葉，重補二十八葉，凡一百二十葉。每半葉八行，行二十字。前有李濟川「越甸幽靈集錄序」、黎純甫之「越甸幽靈集錄跋」及「越甸幽靈集錄總目」。總目後有翰林院行國威府知府高輝耀久照甫補註並評；全編首題「越甸幽靈集錄全編」「守大藏經中品奉御李濟川編集」「門下省事內令史書金晃誅按錄」；續補首題「續越甸幽靈集錄」「國子監司業阮文賢銳軒增補」；重補首題「重補越甸幽靈集錄」「事事齋吳甲豆重補」，書末有「重補越甸幽靈集錄全編跋」「三清觀道人吳甲豆題」。審其內容當是前提3.編號A.751本及編號A.2879本之同本異抄。

三、此本原爲戴密維教授所藏。此本計分四卷，凡一百八十三葉。每半葉九行，行二十字。書名題爲新訂校評越甸幽靈集，前有「第二奇書序」「皇陳開祐元年春上澣日序」「大藏書大正掌中品奉御安越還路轉運使李濟川謹序」；次有「序引」「景興甲午秋中澣日序」「禮部主簿鴻都諸葛氏謹頓序」；次爲目錄：卷一「歷代人君八殿」；卷二「歷代人臣十一廟」；卷三「灝氣英靈十二位」；卷四「精粹偉績十一號」。卷一首題「新訂校評越甸幽靈集卷一」「大正掌中品濟川李氏撰」「禮部主簿鴻都諸葛氏校」。審其內容當是前提4.編號A.335本之同本異抄。

四、此行現藏河內漢喃研究所，編號爲VHV1523。全本計二十七葉。每半葉八行，行二十行。封面署「越甸幽靈」。前有李濟川的跋，次爲皇朝永盛八年的跋（與吳甲豆跋異）。審其全書，分類與諸本異，集中傳文頗多不見於諸本者；其內容與諸本同者，篇名復異，歸類又不一致。如「扶董天王傳」乃灝氣英靈十二位之一，而此本則列入「歷代輔臣」中。又此本各篇內容極爲簡短，往往數行即敍一傳，而人物增補較諸本爲多，實爲一異本，因點校迻錄，附錄於後。

附註

❶以上主要參考陳文甲對漢喃書庫的考察 SOCAL SCIENCES PUBLISHING HOUSE HANOI-1990, pp. 180-186。

粵甸幽靈集錄序

古聖人曰聰明正直足以稱神非淫祠邪祟濫得而稱也我

皇粵宇內諸神古來多矣能彰厥績陰相生靈者有幾哉然從來品類不等或山川精粹或人物傑靈騰氣勢於當時總英靈於來世若不紀寔朱紫難明因隨淺見罕聞編集成書或好事者尚其正之是所望也

皇陳開祐元年己巳孟春上澣

守大藏書文正掌中品奉御安暹路轉運使李濟川敬序

書影

歷代人君（附后妃）

嘉應善感靈武大王

趙越王後李南帝

徵聖王

歷代人臣

威明顯忠大王

太尉忠輔公

洪聖匡治大王

布蓋彰信大王

社壇帝君

貞烈夫人

校尉威猛大王

國都城隍大王

都統匡國王

書影

太尉忠惠公
証安佑國王
果毅剛正王
浩氣英靈
應天化育元君
盟主昭感大王
沖天威信大王
開天鎮國大王

却敵威敵二大王
回天忠烈王
廣利大王
開天威顯大王
佑聖顯應王
忠翊威顯大王

二

書影

善護國公　利濟通靈王

粵甸幽靈續集　國子監司業阮文質增補

湖天王　青山大王

乾海門尊神　管家都博大王

粵甸幽靈集錄

嘉應善感靈武大王

王姓士名燮蒼梧廣信人也其先魯國汶陽人值王莽亂避地于此世至王父名賜漢桓帝時爲日南太守王少遊學漢京治左氏春秋舉孝廉補尚書郎以公事免官居父喪闋後舉茂材除巫陽令獻帝時遷交州太守時張津分州刺史漢末三國交爭王治羸𨻻及廣信二所後張津爲賊帥區景所害荊州牧劉表遣零陵令賴恭攝交州刺史獻帝聞之賜王璽書曰交州鎮城南帶山海上恩不宣下義擁塞逆賊

書影

書影

粵甸幽靈續集

國子監司業阮文賢著

朔天王、

按禪苑集黎大行時有匡越太師不仕嘗閒游平虜郡衛靈山愛其景致幽雅、欲創庵居之一日游覽山庵、假寐見神人身披金甲、手執金鎗、從者數十人、自稱是朔天王、管領夜叉神兵、奉上帝命、保此土護方民、與君有緣、故相見耳、太師驚覺、聞山中喝聲、因入深山見一大木繁茂、瑞氣可愛乃即其處立廟、代取大木塑神像、如夢中所見者、天福

粵甸幽靈集錄 序

古聖人曰：「聰明正直足以稱神。」非淫祠邪祟，濫得而稱也。我皇粵宇內諸神，古來多矣。能彰厥績，陰相生靈者有幾哉？然從來品類不等；或山川精粹，或人物傑靈，騰氣勢於當時，總英靈於來世。若不紀實，朱紫難明，因隨淺見罕聞，編集成書。或好事者，尚其正之，是所望也。

皇陳開祐元年己巳孟春上澣。

守大藏書文正掌中品奉御安暹路轉運使李濟川敬序。

粵甸幽靈集錄

歷代人君

嘉應善感靈武大王

王姓士名燮，蒼梧廣信人也。其先魯國汶陽人，值王莽亂。避地于此。世至王父名賜，漢桓帝時，爲日南太守。王少遊學漢京。治左氏春秋。舉孝廉，補尚書郎，以公事免官。居父喪闋。後舉茂材，除巫陽令。獻帝時，遷交州太守。時張津分州刺史。漢末三國交爭，王治嬴陵及廣信二所。後張津爲賊帥區景所害，荆州牧劉表，遣零陵令賴恭，攝交州刺史。獻帝聞之，賜玉璽書曰：「交州鎮城，南帶山海。上恩不宣，下義擁塞。逆賊劉表遣賴恭窺看南土，今以卿爲中綏南中郎將，董督七郡，領交州太守如故。」王遣張是詣漢京貢獻方物。時天下喪亂，道路阻絕，而王能修職貢。漢帝復下詔，拜安遠將軍度亭侯。

後蒼梧太守吳區與賴恭相失，舉兵逐之。恭走零陵。孫權遣步隲爲交州刺史。隲至，王率兄弟，引導豪姓雍闓等，率郡民附吳。吳益嘉之，陞爲衞將軍龍編侯。王遣使詣吳，貢雜香、細葛、明珠、玳瑁、翡翠、犀象、及檳榔、龍眼之類。吳王賜書慰答之。王之弟有三子，一領令蒲太守，(今廉州)。一領九眞太守，(今清化)。一領南海太守(今廣州)。王姓寬厚，謙虛下士，漢朝名儒多往依之，以避亂者數百人。州人皆呼王曰大王。(時孔袁徽與尚書令荀彧書曰：「交州士府君，學問優博，達於從政。大亂之中，保全一方。二十餘年，疆埸無事，民不失時，羈旅之徒，皆受其賜。雖竇融保河西，無以加之。」王之弟並爲郡守，雄長一州。王出入，鳴鐘磬，備儀仗，笳簫鼓吹，車騎滿道，州人夾轂焚香迎送。當時貴重，威振百蠻，尉陀不能踰也。王在治四十八年，壽九十歲。

又按報極傳云：王善於攝養。王薨後，至晉末，凡一百六十餘年，林邑入寇，掘王陵塚，見王體不壞，面色如生，大懼。復埋。土人以爲神，立廟祀之，呼爲士王仙。唐咸通中，高駢破南詔，經過其地。遇一異人，面貌熙怡，霓裳羽衣，遮道相接。高王悅之，延至幕中，與語，皆三國時事。出門相送，忽不見。高駢怪問，土人指王陵爲對，駢嗟訝不已。吟曰：「自魏吳初後，于今五百年，唐咸通八載，幸遇士王仙。」王廟最靈。陳重興元年。敕封「嘉應大王」。四年，加「善感」二字。興隆二十一年，加「靈武」二字。

布蓋孚祐彰信崇義大王

按趙公交州記：王姓馮名興，世爲唐林州夷長，號郎官。王豪富、有勇，能搏虎。其弟名駭，亦有力，能負千斤石，行十餘里。諸獠皆畏其名焉。唐代宗大曆中，安南都護府軍作亂，王因率服諸鄰邑，而有其地。王改名區老，稱都君；駭改名巨力，稱都保。王用唐林人杜英翰之計，以吳兵襲唐林州，威名大振。時安南都護高士平攻之不克，憂悶成疾而死。都府無人。王入府，垂衣而治。

七年王薨。衆欲立駭，王之將蒲披勸不從，乃立王之子安，率衆拒駭。駭遂遷朱岩，後不知所之。安尊父爲布蓋大王。因夷俗呼父曰布、母曰蓋，故以名焉。唐拜趙昌爲安南都護，昌入境，招諭。安率衆降，諸馮遂散。

初，王既薨，英靈顯赫，衆以神事之，立廟在都府之西。凡有奸盜及疑獄，詣廟前盟。即見顯應，香火日盛。吳先主時，北兵入寇，吳主憂之。夜夢王來助，督進兵。吳主異之，遂進兵，果有白藤勝狀。吳主命建廟莊嚴，備其黃纛、銅鼓、歌舞、音樂、太牢饗謝之。歷朝沿之，遂成古禮。陳重興元年，敕封「孚祐大王」。四年，加「彰信」二字。興隆二十一年，加「崇義」二字。

明道開基聖烈神武皇帝

按史記：帝姓趙，諱光復，朱鳶人也。初保夜澤，與梁兵拒。有龍爪之瑞，自此軍聲益振。會梁有侯景之亂，召陳伯先還。裨將楊犀與帝拒，帝大破之，國乃平。帝入居龍編，稱趙越王。在位二十三年，爲雅郎竊取龍爪，與其父謀襲攻。帝携其女南奔投海。

後者英靈，國人立祠在大鴉海口，奉祀爲福神。陳朝重興元年，敕封「明道皇帝」。四年、加封「開基」二字。興隆二十一年，加「聖烈神武」四字。

英烈仁孝欽明聖武皇帝

帝姓李，諱佛子，乃天寶族將，後爲後李南帝。初、前李南帝兄天寶與族將佛子，避居哀牢之桃江源野熊洞。因地名，建國稱桃郎王。及卒，衆推佛子統其衆。舉兵東下，與趙王戰于太平，佛子兵敗求和。趙王不忍，遂割界于君臣洲，居烏鳶城。後佛子爲其子雅郎求婚趙王女杲娘，趙王許之，贅居焉。雅郎欺杲娘，竊取龍爪易之，歸與父謀襲趙王。趙王不覺，倉卒披冑以待。佛子益進。趙王乃携其女南奔，至大鵶海口，嘆曰：「吾窮矣。」遂投于海。佛子旣倂趙，遷都峯州，遣其兄子大權據龍編，別帥李普鼎據烏鳶。隋遣劉方來侵，將兵踰都龍嶺，進至城下，諭以禍福。佛子請降。在位三十一年薨。

後國人立廟在小鵶海口，祀爲福神。陳重興元年，敕封「英烈皇帝」。四年，加「仁孝」二字。興隆二十一年，加「欽明聖武」四字。

天祖地主社稷帝君

相傳帝君名后稷，敎民播百穀，周家始祖。凡建國立都，皆設立社稷壇，春秋致祭。今壇在羅城南門。歷朝郊祀配天。如遇旱蝗，祈禱必應。陳重興元年，敕封「社稷司帝君。」四年、改封「天祖社稷帝君。」興隆二十一年，加封「地主」二字。

徵聖王

王姓徵，諱側，峯州麊泠縣貉將之女，朱鳶詩索之妻也。時交州刺史蘇定貪暴，以法殺詩索。王爲夫報讎，乃與其妹徵貳，起兵攻蘇定，略取嶺南六十五城，自立爲王。漢帝聞之，怒誅蘇定于儋耳，遣馬援來侵。與之戰于浪泊。王退保禁溪，與其妹拒漢兵，勢孤陷沒。

國人哀之，立祠祀之，歷代尊爲福神，祠在喝江上。李英宗時，因大旱，命淨戒禪師禱雨。天將雨，涼氣襲人。帝假寐，見二女，冠芙蓉冠，綠衣束帶，駕雨而來。帝怪問之。答曰：「妾卽徵氏姊妹也，奉玉帝命，行雨而來。」帝請益作風，舉手止之。帝覺，命修祠致祭。尋命迎回京師，建雨彌堂奉祀。後又命立祠于城外，敕封「靈貞二夫人。」陳重興四年，封姊爲「威烈夫人」，妹爲「敬勝夫人」。興隆二十一年，加姊夫人「純貞」二字，妹夫人「保順」二字。

貞烈夫人

夫人乃占城國王乍斗之妃也。李太宗時，乍斗不修職貢，太宗親征，與乍斗戰于布政江。乍斗敗績，爲亂軍所殺。夫人被俘。太宗回至莅仁江，命召夫人進侍。夫人聞命，密以白氈自纏，投河而死。

其後每於夜靜，聞江中有哀怨之聲。土人哀之，立祠奉祀。太宗偶因巡游，過祠前問之，土人以事具奏。帝慘然曰：「果有靈，宜報朕知」。是夜，帝夢女人來拜且泣曰：「妾名媚醯，占城王妃也。」帝驚覺，命備禮致祭，敕封「協正娘」。土人奉爲福神，屢著靈應。陳重興元年，封「協正佑善夫人」。四年，加「貞烈」二字。興隆二十一年，加「貞猛」二字。

歷代人臣

威明勇烈顯忠佐聖孚祐大王

王名光，李太宗第八子，貞明皇后黎氏所出也。王忠孝。有政事才。乾符有道元年，管乂安歲租事。居職數年，保無過咎，政績日聞于上。帝美其才。賜號「威明皇子」，命知乂安州。時帝欲占城，命王董理涉和寨，及諸處巡捕使，糧儲豫備。及帝親御征乍斗，大獲全勝。凱還至乂安州，加王節鉞，進王爵。命定本州簿籍，度邊界。凡夷獠不順命者王征之，得州五，寨二十二，册五十六，立碑爲地限界。至聖宗龍瑞太平三年，時有流言王專政，帝召回朝。

王在州凡十六年，民畏其威，懷其德。及王薨，州民聞之，立祠奉祀，尊爲福神，屢著靈應。陳太宗元豐年間，親征占城。迎王神位，奉在前船。船行如飛，果獲勝捷。及還，敕封「威明勇烈大王」，以酬陰助之功。至重興元年，加「顯忠」二字。四年，加「佐聖」二字。隆興二十一年，加「孚祐」二字。

校尉英烈威猛輔信大王

按交州記：王姓李，名翁仲，慈廉人。身長二丈，才力過人。少時仕于縣邑，爲都督所笞，遂棄而從學，發明經史。仕秦至司隸校尉。始皇併天下，使將兵守臨洮，聲振匈奴，始皇以為異。及王老歸田里，始皇使鑄王像，置咸陽官司馬門外。

至唐德宗貞元初，使趙昌為安南都護。昌常夢王來，講說左傳及經史。昌訪其故宅，令立祠祀之。迨高駢破南詔，夢王助順。遂廣修祠宇。塑王像祀之為福神。陳重興元年，封「英烈王」。四年，加「威猛」二字。興隆二十一年，加「輔信」二字。

太尉忠輔勇武威勝公

按史記：公姓李名常傑，泰和坊人，崇班郎將李語之子也。公多謀略，有將才，少時充黃門祇候。李太宗朝，為內侍都知。聖宗朝，為太保。時帝親征占城，命公為先鋒，獲占主制矩。公以功封輔國太傅，遙授諸鎮節度，同中書門下上柱國，天子義弟，輔王大將軍，開國公。迨仁宗即位，加封輔國太尉。英武昭勝初，宋人欲侵邊，帝命公將兵先攻欽、廉等州克之。後宋人來侵邊，取武平源。公戮力築城，于石心渡拒之。尋克復之，遂班師。帝下詔褒賞。

及公卒，封福神。陳重興元年，封「忠輔公」。四年，加「勇武」二字。隆興二十一年，加「威勝」二字。

保國鎮靈定邦城隍大王

按交州記：王姓蘇名百，世居賁度鄉江水側，三世同居。晉時旌表其閭，號所居為蘇百村。

王初舉孝廉，爲龍度令，有忠孝之名。

唐穆宗長慶中，都護李元喜見龍城北有逆水，乃相地移府。其地是王故宅，因奏請封王爲城隍神，立祠祀之。夜夢王來告曰：「某主此地久矣。君爲敎導吾民以義，方能久居。」元喜許諾。迨高駢築羅城，聞其事，具禮致祭，尊爲「都府城隍神君」。李太祖遷都龍城時，夢王來拜謁，具言姓名。帝覺而命祭，封爲「國都昇龍城隍大王」。陳重興元年，封「保國」二字。四年，加「鎮靈」二字。隆興二十一年，加「定邦」二字。

洪聖佐治大王

按史記：王姓范名巨倆，安州令范占之孫，參政范蔓之子，都護范盎之弟。占佐吳先主，蔓佐南晉王，盎佐丁先皇，及王佐黎大行，爲都尉指揮使。扈駕征占城。有功封太尉。至李太宗，以都護府多疑，獄不能決，乃焚香禱天。是夜，帝夢紅衣神宣言上帝敕封范巨倆爲都護府獄主。帝覺問左右。知范巨倆事狀，遂封范巨倆爲獄神。後改封「洪聖」。陳重興元年，加「匡國」二字。四年，加「忠武」二字。興隆二十一年，加「佐治」二字。

都統匡國王

按史記：王姓黎，名奉曉，淸華那山社人。有勇力，美鬚髯。弱冠時，梁江有爭田者，王以手提苗芽而戰，人無敢近者。李太祖時，選壯士，充禁軍有功，累遷武衞將軍，與譚坦、高盛溢、李玄師竝列。及太祖崩，太宗卽位，時皇叔翊聖王、武德王，皇弟東征大王，相率本府兵，攻皇宮甚急。太宗命奉曉等出戰。未分勝負。奉曉拔劍大呼曰：「諸王竊窬神器，蔑視嗣君，上忘國恩，下背臣道，今奉曉請以此劍報國。」乃直入廣福門，斬武德王。各府兵敗走。太宗乃奉捷于太祖靈柩前，然後御乾元殿，召奉曉勞之曰：「朕得完父母之遺體，承祖宗之丕基，皆卿之力也。朕閱唐書，見尉遲敬德救太宗之難，每嘆後世莫及。今卿忠勇，朕之尉遲敬德也。」拜都統上將軍，封侯爵。至天感聖武年間，扈駕南征有功，詔以那山公田，悉賜奉曉爲私田，傳之子孫。永爲香火，免其租稅。以旌其功。

及卒，封福神。土人立祠祀之。稔有靈應。陳重興元年，敕封「都統王」。四年，加「匡國」二字。興隆二十一年，加「佐聖」二字。

太尉忠惠公

按史記：公姓穆名愼，以漁爲業。李太宗朝，太師黎文盛，學得奇術，能變虎形。時帝好遊，文盛屢諫不聽。及帝幸西湖觀漁，泛舟爲樂，忽然霧起，晦冥聞櫓聲冒霧而來。帝驚號甚急，霧中隱有一虎。時公方抛網，見之，曰：「事急矣。」以網撒之。見虎乃文盛也。詔以鐵索囚之。帝嘉公勇略，拜都尉，尋至輔國將軍。

及卒，贈太尉，命立祠塑像奉祀之，封福神。陳重興元年，封「忠惠公」。後加「武亮」二字。

却敵威敵二大王

王扶萬人也，姓張，兄名吽，弟名喝，皆趙越王名將。趙為李所滅，二人乃隱扶龍王。李佛子求之，乃飲毒卒。

至吳南晉王討李暉，次軍扶萬口。王夢二人來，自稱姓名，且言向者先主有白滕江之勝，亦某兄弟助順之力也。今李暉猖狂背逆，故來助王討之耳。王覺而致祭，且祈陰助成功，當立廟酬謝。及王進兵崑崙，賊守險，軍士不能進，各有退志。其夜吳王復夢張兄弟會兵相助。其兄沿武平江，經如月江，入富良江。其弟沿諒江，入南平口。吳王大喜，以語左右，傳急進兵，果獲全勝。遂封其兄為「大當江都護國神王」，立祠于如月江岸。其弟為「小當江都護國神王」，立祠于南平江口，香火不絕。至李仁宗朝，宋兵入寇，帝命李常傑沿江築柵固守之。一夜，軍士次於祠所，皆聞天上有吟曰：「南國山河南帝居，截然定分在天書，如何逆虜來侵犯，汝輩行看取敗虛。」既而宋兵果敗。陳重興元年，封兄為「却敵大王」，弟為「威敵大王」。四年，加兄「善祐」二字，弟「勇敢」二字。興隆二十一年，加兄「助順」二字，弟「顯勝」二字。

證安佑國王

按史記：王姓李名服蠻，佐李南帝，官將軍，以忠烈名。守杜洞、唐林二處，夷獠不敢犯，方民案堵。卒後，立廟祀之。

李太祖巡遊，過古所步頭，見江上清秀，心神有感，灑酒于江曰：「朕觀此方，山奇水秀，地靈人傑。受此歆享。」倏見異人肥大，狀貌熙怡，稽首再拜曰：「臣本鄉人，姓李名服蠻，生平忠烈，上帝嘉之，敕守此土。唐高祖時，臣常率鬼兵，陰助邱和，破逆賊寗長眞于炭山口。肅宗時，臣陰助破長波斯于神石口。代宗時，臣陰助破崑崙闍婆于朱鳶。又高駢破南詔，吳王破南漢，黎大行破宋兵，臣皆預有陰助之力也。今陛下令臣得守舊職。」既而吟曰：「天子遭蒙昧，忠臣匿姓名，中天明日月，孰不現其形。」言訖倏不見。帝以事語御史大夫梁文任。任對曰：「此人欲顯其形像耳。」帝命立祠塑像，封爲福神。至陳元豐間，韃靼入寇，至其境，馬蹶不進，村民相率拒戰。賊奔散。賊既平，詔封神爲「証安國公」，所在民爲護舍，準免兵徭。重興元年，此人復入寇，所至殘破。及經過此邑，秋毫無犯，如有保護者。賊既平。敕封「証安王」。四年，加「明應」二字。興隆二十一年，加「佑國」二字。

回天忠烈王

世傳：王號李都尉，不記名字年代。都尉因風覆舟，沒於江中。現神遍告天幕江口村民曰：「我蒙上帝敕封爲此江神。」村民所見如一，乃立祠祀之。每月朔日，有蛇自江中出，盤于祠中神案下。村民以爲常。至陳元豐間，韃勇入寇京城，帝欲出避順流邸。至天幕江口泊宿，神現告帝曰：「陛下不須遠幸。」帝悟，命官詣祠致祝。後賊不至此江口，果如神言。及賊平，敕封「回天神王」。重興元年，加「忠烈」二字。四年，加「威武」二字。興隆二十一年，加「助順」二字。

果毅剛正王

按史記：王姓高名魯，乃安陽王之將也。俗號都魯，或號石神，皆訛也。高駢平南詔後，以兵巡武寧州，至嘉定縣。夜夢一人身長九尺，形容古雅，自言其名高魯，昔輔安陽王，有討賊功。雒侯譖之而沒。天帝憫其忠，敕管此地，號都統神將。「凡兵農之事，皆某主之。今君討平南詔，故來相見。」駢問雒侯何以譖之？曰：「此事幽玄，不須宣泄。」駢固問曰：「安陽王是金鷄之精，雒侯是白猿之精，某乃石龍之精，不合，故相害耳。」駢覺悟，以告僚佐，且吟曰：「南國山河勝，龍神觸處靈，交州休蹙頞，今後見昇平。」

初，大灘河相傳下有龍窟，商船過此，多爲風波所損。若知先詣神祠禱之，自免災害。故行人多致敬于神，尊爲福神。陳重興元年，敕封「果毅王」。四年，加「剛正」二字。興隆二十一年，加「威惠」二字。

浩氣英靈

應天化育元君

元君南國地祇也。李聖宗征占城時，船至環海，遭風波不能行。夜夢一女人，白衣綠裙，束帶淡粧，輕步帝前曰：「妾是地精，假名于木久矣。待時而起，今其時也。倘能奉祀，不惟征占成功，且於國家有利。」帝覺喜，召左右，語以事。僧惠林奏曰：「若曰假名于木，求之林中可也。」帝然之，命求諸山崖中。得一木。頭肖人形，其色如夢中所見之衣服者。帝命名曰：「后土夫人」，置御船中，風波乃平。帝進征占城，得勝凱還。至舊處，命立廟。忽風波又起。惠林奏曰：「且迎回京師。」帝依奏，風波遂息。及至京師，卜立祠，得于安朗鄉，遂立祠祀之。英宗時，歲大旱，群臣請立圜丘於南郊，祭元君爲壇主。是夜帝夢元君來，言部屬有勾芒神，善行雨。帝喜而覺，天大雨如澍。議以社稷配天，后土配地。敕自今以後，此立春之土牛，納于元君祠下，以勾芒神爲其部屬也。陳重興元年，敕封「后土地祇夫人」。四年，加「元忠」二字。興隆二十一年，加「應天化育」四字。

廣利大王

王本龍度王氣之君也。昔高駢築羅城時，一日方晡，駢出游城東，忽然雲霧大作，見五色氣自地出，光芒奪目，有一人冠裳嚴整，騎赤蛟，手執金簡，隨光氣升降，異香襲人，宛轉往來，片時而變。駢驚異，以爲妖氣，欲以法鎭之。夜夢神來告駢曰：「吾非妖氣，吾是龍度王氣也。見公築城，故相見耳。」駢覺，令以銅鐵爲符，埋而壓之。是夜雷雨大作，掘起銅鐵，碎如塵土。駢大驚，無計可施。

後土人立祠奉祀，尊爲龍度福神。李太宗時，各國商人都會，合衆闔東門市、雜居神祠左右前後。一夜，大風起，飛沙走石，寰祠諸家皆到。惟神祠依然如故。太宗異之，問神事跡，識者以事奏。帝喜曰：「神之靈。」命官致祭，敕封「廣利大王」，以祠爲都城祈福之所。迨陳時，都城三次遭火，而祠依然無恙，遠近傳爲最靈祠。重興元年，敕封「聖佑」二字。四年，加「威濟」二字。興隆二十一年，加「孚感」大王。

盟主昭感大王

王銅鼓山神也。（山在清華省丹泥社）初，李太宗爲太子時，奉太祖命，總師征占城。兵至長洲泊船。是夜，太子夢一人戎服長揖曰：「太子南征，某是銅鼓山神，請從王師。」太子喜而覺。及進兵，果勝。凱還日，太子迎神位歸京師，封福神。方卜地立祠，太子夜夢神來，請居大羅城右邊，聖壽寺後。太子以事奏，太祖從之。及太祖崩，太子即位。是夜夢神來，告翊聖等三王作亂，請預加提防。至天明，果然皇叔翊聖王、武德王及皇弟東征王，相率府兵作亂。太宗以爲靈異。內難既平，敕封王爵，尊爲「天下主盟福神」。陳重興元年，封「靈應大王」，四年，加「昭感」二字。興隆二十一年，加「保佑」二字。

開元威顯大王

按南海記：王本天神也。唐玄宗開元中，廣州刺史思奐，奉命巡越南國。時駐安遠村，其村夾龍度、慈廉二縣間。奐見其地平坦，樹木蒼蔚，似有靈氣，乃立廟宇，設土祇像，名其廟曰開元觀。其後屢著英靈。方民祈福，香火不絕。至陳聖宗紹隆初，改爲安養寺。其後此地都會，士女雲集，詔以神觀爲壇，而遷其廟于步頭。至重興元年，敕封「開元威靈大王」。四年，加「隆著」二字。興隆二十一年，加「忠武」二字。

冲天威信大王

王本是土神也。昔至誠禪師建寺於扶董鄉，立土神位於寺門右側。其後寺壞，士人雜事巫覡，濫爲淫祠。迨多寶禪師輔李太祖潛龍時，見此奉事，欲去之。一日，題神廟前大樹云：「佛法誰能護？任聽住祇園。若非吾佛法，早隨別處遷。」夜夜誦之。一夕，讀方悉，空中自有人聲答云：「佛法慈悲大，靈光覆載天。願常隨受戒，長爲護祇園。」禪師聞之，明日設壇，祭以齋素。時李太祖與多寶禪師相親，常來此寺。一日，太祖詣寺，見神前大樹，有白書云：「帝德光天下，威聲鎮八埏。幽靈蒙惠澤，優渥拜冲天。」太祖看悉，賜爲冲天神王，白書忽不見。太祖異之，命塑像祀之。後太祖幸寺，因留宿之。夜夢四句云：「一鉢功德水，隨緣化世間。光光重照燭，沒影日登山。」蓋李朝八帝，是「鉢」也。「日登山」及「昰」字，惠宗名也。惠宗傳位女主，故陳取之。陳重興元年，敕封「勇烈大王」。四年，加「昭應」二字。興隆二十一年，加「威信」二字。

佑聖顯應王

按交州記：王山精也。初，雄王有女曰媚娘，蜀王求婚，雒侯止之。時有二人自外來，拜求婚。王問之，曰：「一是山精，一是水精。」王曰：「我有一女，豈得兩賢？」約來日具禮，先來者與之。明日，山精將珍寶、金銀、山禽、野獸先來拜獻，王如約嫁之。山精迎回傘圓山。水精後至，悔恨不及。乃作雲雨，江水漲溢，率水族追之。山精張網橫截慈廉上流以扞之。水精從喝江入沱江襲之。山精神化，呼土人編竹禦之，以弩射之，水精退走。自此嫌讎，每年常漲水相攻云。山精屢著靈應，方民賴之。陳重興元年，敕封「佑聖王」四年，加「匡國」二字。興隆二十一年，加「顯應」二字。

開天鎮國大王

按史記：王是藤州土神也。昔黎臥朝未卽位，號開明王，食邑于藤。一日泛舟過藤江，大風雨驟至，舟泊江邊。江岸有古廟，臥朝顧問廟祀河神？村人對曰：「藤州土神也。自古至今，屢有靈應，方民祈禱，立見效驗」。臥朝曰：「如有靈，今方風雨，能作一邊風雨一邊晴，始謂之靈。」言訖，果然長然一帶，一邊風雨一邊晴。臥朝大異之，令修葺祠宇。民歌之曰：「美哉大王威望重，藤州土地顯神靈。却雨驅風無所犯，那邊滂沛那邊晴。」及臥朝卽帝位，以藤州爲太平府，封土神爲「開天城隍大王」。四年，加「忠輔」二字。陳興隆二十一年。加「鎮國」二字。

忠翊威顯大王

按交州記：王本號土令長。唐永徽中，李常明爲峯州都督，見峯州地坦，山河襟帶，乃於白鶴江，建通靈觀，奉三淸。又開前後二堂，擬塑神像，未知孰靈。乃焚香祝曰：「此間神祇，何者最靈？令吾見其形狀，以便塑像」。是夜夢二人來，爭趨前堂。常明問其姓名，一稱土令長，一稱石難。常明曰：「各試所能。石難卽跳一步到江邊，見土令長已在江邊，石難再跨一步過對岸，又見土令長已先在對岸。常明以土令長爲勝。覺而倣其形狀，令塑神像奉祀。方民以爲祈福之所。凡朝官奉命征討，過此拜禱，常見助順。陳重興元年，封「忠翊王」。四年，加「武輔」二字。興隆二十一年，加「威顯」二字。

善護國公

世傳：公是海濟郡土神也。初，高駢征南詔時，兵船入大鴉、小鴉諸海口。駢好鬼神之事，設祭求神默助。夜三更，忽聞空中有人聲云：「若要成官事，須崇道德人。」高駢聞之大喜，遂立道宮，名護國宮。設土神像於宮側。其後土人尊爲福神。陳重興元年，敕封「善護國公」。四年，加「靈應」二字。興隆二十一年，加「彰武」二字。

利濟通靈王

世傳：王是火龍之精也。昔洪州橋桿人鄧洪明與其弟鄧善射，皆以捕魚爲業。一日，泛舟入海，見一木長三尺，隨潮上下，二人拽起上船。至夜，木中似人語聲。二人大驚，放之海中，避之他船借宿。睡方熟，見一人來告曰：「此木火龍之精也，汝兄弟善視之，他日必得福報。」二人覺，與語所見略同。起視船頭，已有此木在焉。遂令木匠刻成神像而祀之，號曰龍君。時朝廷命官求珠，差漁人入海求之，他人求得者少，惟鄧氏兄弟所得者多。官問其故，遂以實對。官以事奏聞，朝廷下詔賞賜鄧兄弟，且敕封神爲「神珠龍君」，命官致祭。重興元年，敕封「利濟龍王」。四年，加「靈通」二字。興隆二十一年，加「惠信」二字。

粵甸幽靈續集

國子監司業阮文賢著

朔天王

按禪宛集：黎大行時，有匡越太師，不仕，嘗閒游平虜郡衞靈山，愛其景致幽雅，欲創庵居之。一日，游覽山庵，假寐，見神人身披金甲，手執金鎗，從者數千人。自稱是朔天王，管領夜叉神兵，奉上帝命，保此土護方民。與君有緣，故相見耳。太師驚覺，聞山中喝聲。因入深山，見一大大木繁茂，瑞氣可愛。乃卽其處立廟，代取大木塑神像，如夢中所見者。天福年間，宋兵入寇，大行皇帝素聞其事，乃委太師就廟密禱。時宋兵駐西結村，兩軍未接，忽見一人身長丈餘，披髮怒目，從江中出，波濤湧激。宋兵大惧而退，宋將郭逵班師回。大行命增祠宇以謝之。

青山大王

王是三島山神也。自古未有敕封。至陳仁宗時，因歲大旱，遍禱諸神不雨，及禱三島山神，遂得雨。帝敕封山神爲「青山大王」。自此方民祈禱靈應，尊爲一方福神。

乾海門尊神

尊神南宋公主也。時南宋帝昺，爲元人所困，其臣陸秀夫，抱弟投于海而沒，宗室多溺者。公主母子援得船板泊岸，依佛寺，甚饑困。寺僧憐而養之，二三月間，身體完全，容色美麗。寺僧悅而求通，公主拒之甚嚴，僧愧悔，投海死。公主泣曰：「吾母子賴僧而生，僧爲吾而死，於心何安？」皆投海而死。風飄至演州乾海門，身體如生，神色不變。土人以爲靈異而埋之。自此大顯英靈，土人立祠祀之。凡海船遇風，禱之自安。至今各海口皆立祠奉祀，尊爲福神。

管家都博大王

王是永寧路土酋官郎也，姓鄭，名加。弟秀、妹氏巴、兄弟三人，皆有才色。時高駢討南詔，過永寧路。見王爲人忠厚篤實，愛而用之，令管家事。及告歸，駢賜錢五百緡，因此致富。凡鄉里貧者，皆受其恩，一路之人，皆愛之。初水清鄉人，名浪者，與王父有宿憾，而王兄弟不知。浪來求婚，王以其妹嫁之。其後浪放氏巴歸。至江津無船，坐而號泣。王與其弟秀、適來訪妹，聞隔江號泣聲，乃以竹船過江迎妹。船至江津，不意浪率衆伏兵器待之。王甫上岸，兄妹方敍話，卒然伏兵從蘆叢中突出，兄妹皆遇害，時十一月十四日也。天寒且雨，路無行人，浪乃推屍于江中，流至馬江，又逆流沂浴江，至德昭津而泊。德昭津是王外祖鄉也，王妻亦在此鄉，見之，馳告高駢。駢憐而厚葬于德明山嶺，立廟其側祀之，封爲「當江管家神王」。永寧一路，尊爲福神。

及胡季犛居西都，大興工役。夜夢一人皀袍平冠腰束玄帶，來言某鄭加也，蒙高王封神，保此方民，願其布德，無勞苦此民。季犛驚覺，訪知其事，命修祠宇，封爲「管家都博大王」。

新訂較評越甸幽靈集

朱鳳玉　校點

新訂較評越甸幽靈集

第二奇書序、

古聖曰夫聰明正直足以称神、非淫祠崇庙者得濫称焉、我

皇越宇内廟食諸神古来多矣、求其能彰偉績、陰相生灵、有幾名哉、然其所從来、品類不一、或山川精粹、或人物英灵、騰氣勢於當辰、縱英灵於末造、然不記其實、則朱紫难明、且隨其浅見卑聞、集播霊部、而或好事者偽度正諸、是所望也

奇書序

書影

書影

開祐元年春正月上澣日序、

大藏書大正掌中品奉御安越還路

轉運使李濟川謹序

序引、

斯集之作、出自李朝、先自黎文休之筆、以記其事、

歷世沿革、其畧未備、蓋我
越在昔之辰、俗尚清簡、政化出於渾然、文教起於樸
野、花辞艷句、靡所見聞、苟得其餘、僅采俗傳口話
之著述耳、然詳考窮究、且尚未尽先民之跡、而語
有甚迂濶、有難暁明、刻桊無枝、曷可指示後来之
判决也、逮至陳朝季。生再續其尾、旁求廣采、輯成
其錄、閒軒調理数十餘載、研求秘究、良苦寸悽、所

得之餘、亦不过是、用功雖倍、較究難明、第俚說野記之未精、諺語俗辞之未脫、隱隱揣憶、魚魯之謬、亦未得尽其妙也、然推碓其所以、似可想見、使其不愧下詢、叩隱逸之遺賢、其所得豈止如此而已耶、噫作之於前、述之於後、亦可謂有心於名教矣、余生不逢辰、屢遭其世变、閉窓危坐、以済天心、辰適李亥仲秋、偶適外家郭。生之舍、箱藏斯集、輒以示余、余袖回私第、以便閱覽、見其中多有未穩、因此用心廣摉遺逸、博采百家、較比平分、發明其領九瞳矇難稽諸事、可筆則筆之、可削則削之、要使其旨周流、（此效語似乎文則史矣）首尾相貫、脉絡接續、以便耳目之間耳、蓋欲公之天下、洞知古今名跡之勝、豈敢有一毫私意於其間哉、是以不嫌淺陋、冒引其原、以俟後之博彥、參訂其辭而準約之、是幸、

景興甲午秋中澣日序、

禮部主簿鴻都諸葛氏謹頓序、

書影

目錄

卷一

歷代人君八殿

卷二

歷代人臣十一廟

南平二張錄　步頭李公錄　那山黎公錄
都訥范公錄　龍康李公錄　太和李公錄
靈潭穆公錄　天幕都尉錄

卷三

灝氣英靈十二位

麻雷大帝傳　扶董神王傳　婆茹土神傳
白馬神廟傳　峯州土令長傳　清海地神傳
布蓋大王傳　藤州靈臺傳　銅鼓山主傳
安朗元君傳　永林蒲時傳　諒山奇窮傳

卷四

粹精偉績十號

會陵黎公譜　長津二將軍譜　驍田陳駙馬譜

馮淵龍神譜　驩濱昭儆譜　森城杜廟譜

克陽阮侯譜　睦遷徐生譜　明洞象祠譜

回山布露譜　以上四卷共肆拾壹記錄傳譜、

一舊本所載、如士。王儆如王昭正、夫人李校尉傘圓王四位聖娘朔天、王諸記、俱已詳註在嶺南摭怪錄、不必重載、仍削之以便一端、一舊本先以王名首記其目、非筆法也、今姑以地名記其領、次將平生事業語其詳、後以英顯受封始書王字稱焉、此欲遵紫陽朱。公之筆法也、

一舊本有世代未明、年紀未合、今查國史及歷代世紀、與集攬摭怪等記、訂正改定、以準一揆、

以上諸跡並已修整完備仍例于前、庶免疑惑云、

書序目錄完、

書影

新訂較評越甸幽靈集卷一

大正掌中品濟川李氏撰、
礼部主簿鴻都諸葛氏校、

第二奇書、

歷代人。君

〔社稷帝君記、

帝。君本鴻厖正派、國初太古之辰、地產惟有粡糯西稻、其他種類且有未備、如遇年荒歲歉、民用有欠之、常采梹榔禹餘薯蕷野芋之類以自給、特適雄。王仲世、王天資高邁、賢德全備、洞恤民隱、念見民豐國富、山無滛雨、海不揚波、士庶樂業、似有清平氣象、王意

新訂較評越甸幽靈集

第二奇書序

古聖曰：「夫聰明正直足以稱神。」非淫祠祟廟者，得濫稱焉。我皇越宇內，廟食諸神，古來多矣，求其能彰偉績，陰相生靈，有幾名哉？然其所從來，品類不一；或山川精粹，或人物英靈，騰氣勢於當時❶，縱英靈於末造。然不記其實，則朱紫難明，且隨其淺見卑聞，集播靈部，而或好事者，倘屬正緒，是所望也。

開祐元年春正月上澣日序

大藏書大正掌中品奉御安越還路轉運使李濟川謹序

【校勘記】

❶「時」，原避諱作「辰」，全書同。

序引

斯集之作，出自李朝。先自黎文休之筆，以記其事。歷世沿革，其略未備。蓋我越在昔之時，俗尚清簡。政化出於渾然，文教起於樸野；華辭艷句，靡所見聞。苟得其餘，僅採俗傳口話之著述耳！然詳考窮究，且尚未盡先民之跡，而語有甚迂濶，有難曉明，刻柳無枝，曷可指示後來之判決也？

逮至陳朝李生再續其尾，旁求廣采，輯成其錄。閒軒調理，數十餘載，研求秘究，良苦寸懷，所得之餘，亦不過是。用功雖倍，較究難明。第俚說野記之未精，諺語俗辭之未曉；隱隱揣臆，魚魯之謬，亦未得盡其妙也。然推確其所以，似可想見，使其不愧下詢，叩隱逸之遺賢，其所得豈止如此而已耶？噫！作之於前，述之於後，亦可謂有心於名教矣。

余生不逢時，屢遭其世變；閉窗危坐，以濟天心，時適癸亥仲秋，偶適外家郭生之舍，箱藏斯集，輒以示余。余袖回私第，以便閱覽。見其中多有未穩，因此用心廣搜遺逸，博采百家，較比平分，發明其領。凡瞳矇難稽諸事，可筆則筆之，可削則削之，要使其旨周流❶，首尾相貫，脈絡接續，以便耳目之間耳！蓋欲公之天下，洞知古今名跡之勝，豈敢有一毫私意於其間哉？是以不嫌淺陋，冒引其原，以俟後之博彥，參訂其辭，而準約之。是幸。

景興甲午秋中澣日序

禮部主簿鴻都諸葛氏謹頓序

【校勘記】

❶「其旨周流」句旁有「此數語似乎文則史矣」。

新訂較評越甸幽靈集　卷一

大正掌中品濟川李氏撰
禮部主簿鴻都諸葛氏校

第二奇書

歷代人君

社稷帝君記

帝君本鴻厖正派。國初太古之時，地產惟有粫糯兩稻，其他種類且有未備。如遇年荒歲歉，民用有欠乏，常采桄榔禹餘薯蕷野芋之類以自給。

時適雄王仲世，王天資高邁，賢德全備，洞恤民隱。念見民豐國富，山無淫雨，海不揚波，士庶樂業，似有清平氣象。王意其華夏啓聖，盍舉來庭，庶得逕中原之盛。乃遣侍臣置三譯，獻白雉于周，稱越裳氏來貢，（事跡已詳在嶺南摭怪）始採得百穀，與蔴豆麥菜，又百餘種類，將回進納。王喜謂蒲正曰：「古者天子身自耕作，以奉宗廟，庶備蒸嘗之禮。今我德不及古，猶復過望其跡，況既得其香寶之味。是天錫以珍貴，豈敢違衆而逆天乎？我姑躬自栽種，以率百姓，首於務本，可也。」王於是廣開御苑，建立田園，掌把來耜，躬任耰鋤於其間；妃嬪僚屬以下亦各鞠盡栽植，年年播種。後遂漸漸昌茂，秋後收穫，堆積千箱，王忽慨然嘆曰：「宗廟之供，似有不勝用也。我既爲民元后，苟不能使民各得其所，滋遊宴賞之朝，倘有饑寒，莫匪我故，可與百姓同其憂樂。我烏可以享其獨哉？」遂大開倉廩，均賜群黎，教以耘耔之法。又揀其門額，別爲夏秋二課，凡深耕淺種，地勢高低，略爲等第，品給分明，使民務得其要領，再分名定號，序其次位，如龍髯、馬齒、霞雲、紫蕊、白粳、香粒、清軒、翠橋、蝦鬚、蟹碑、嬌夷、錦屏之目，不可枚舉。民庶樂其職業，而農隙之便益多矣。

後王無病而薨，臣民追仰其德，建土築宇，奉而祀之，號曰后稷，謂之社神。蓋感其惠澤群生，恩垂後世，百穀之盛，肇端於此。實得自周國，又曰周寶。因循沿俗，遂爲常規。凡下田上田等節，具宰犧牲置奠，號曰：先農禮，永成國例。至黎天福朝，初帝微辰，素亦以農家起，故粗知其要旨，仍命工部重建祠宇于京，身自行禮，執鋤耕田，或三推或五推而後止。歷代因之，例爲恒典。及李太祖紹統，徙都龍城。再命工部整營堂宇于大羅城之側，以爲夏秋禳祈之地。後世帝王沿習其禮，凡建國立邦，迎設祠址，春嘗秋祀，四時享祭焉。而其廟貌嚴肅，神跡聲靈，尤爲素著。相傳口碑，其論不一。

歷朝帝王郊祀配天，如逢歲運旱潦蝗蟲之災，大臣親率百官僚屬執事各詣靈祠，焚香密禱，立見雨下，災害頓息。重興元年，尊封社稷神祠帝君；四年改封天祖地主帝君；興隆二十一年，更加封天祖地主帝君，以有陰相之功也。

麗海婆王記

夫人姓趙諱貞，小號女嫗，趙國達之次妹，九眞中山人也。華容雲髻，珠眼桃脣，虎鼻龍顴，豹頭燕頷，掌長過膝，聲如洪鐘，身長九尺，乳垂三尺，腰帶寬大十圍。腳力日行五百里，力能驅風撥木；拳打踝捧如神，有動人心目之色。父母早已謝世，與兄同居，嫂甚不賢，嫗怒打殺之。其兄始有相隙。遂分灶遷居林中，自食其力。性最強悍硬直，每有拂意，人莫能當其勇。年二十未嫁，籌略有大志，散財給客，招結朋黨，坐客嘗數千人，並皆一時壯健之士。其兄初恨其燥暴，然念其骨肉之情，似不可捨者，常撫勸訓諭，以爲女流不須如此豪放。嫗頑嚚不聽，反覆對曰：「人生於紅塵間，如萌芽草稿耳！榮枯憔悴，若轉瞬然！青春百歲，倏忽如飛，何必掛齒？」兄曰：「然則若何？」嫗曰：「但願乘風破浪，斬長鯨於東溟，殄清海宇，拯斯民於墊溺，豈效世人頓首曲腰，作人婢妾，甘心服役內事爲耶？」其兄怪之。

吳永安戊辰間，我國苦北來牧守，多漁奪侵擾，民不聊生，各竄逃爲盜，常依嫗園莊，以自逋匿。嫗皆委使推誠，衆皆悅服，樹徒數千餘人。其兄國達知之，喜曰：「吾妹有這志氣，可謂二徵之後，再覩一徵也已！妹既如此，我復何憂乎？」

原來國達積承先蔭，家資豪右，忠厚好善，廣施多交，俱得衆心，頗有籌算匡時之志。手下有四個心腹的人，即王善、冷隆、包叔、孫愼也。俱善弓弩手，兼智勇多謀略，有萬人不當之銳。當年境內騷動，衆皆白請舉事，國達且猶豫未決，四人請之益力。國達曰：「吳兵累於操演，銳氣百倍，我衆乃新集烏合之徒，曷克以臨強敵？萬一有失，悔之何及？莫若待時而動，一舉萬全，斯爲善矣！」衆皆紛紜，弄長飭短，忽聞庭前一人厲聲言曰：「機會可乘，正在今日。事須合理，更待何時？妹雖不才，願當前驅一隊兵馬。」國達四顧，乃女嫗也。國達曰：「我亦知此道了。但四方當且安靜，戎甲乃干係大事，豈可輕動？」女嫗奮然曰：「夫古之善將兵者，當隨機應變，以定勝負於頃刻之間。今吳人縱橫社內，目下無人，其視我國如草芥耳！兵法不曰：『出其不意，攻其無備。』兄獨不知之乎？況今當投其會，時不可失。」於是衆附和之。國達不得已，遂起義旗，旬日之間，有衆數萬，由是遠近響應。吳人恐懼，不敢相攻，各據守隘口，兩相對拒而已。不覺時事乖違，天心難測，國達忽得暴病而卒。衆以女嫗有將帥才，乃立爲主，以禦吳人。嫗自是內益嚴厲，外撫民心，大小機宜，一一從權，靡不周備。

一日大會，嫗坐庭前，令諸將曰：「君等以我兄物故，不以我爲女子，而尊立爲主者，蓋以我有咫尺可取。今我有從軍要命，聽命者有重賞，違命者有嚴刑，動有軍法，須宜誡之。」自此每與吳王相戰，嘗施乳子於背後，用帛連束其腰，着金褐齒屣，據於頭象。聲風赳赳，人莫敢攖其鋒者。軍中號曰：蕊嬌將軍。時有歌曰：「嬌嬌女將軍，英名動風塵。能寒吳子膽，飄致動心人。」蓋言其年少未有適夫，而獨擔撑大柄，猶如騎虎頭攀虎鬚，恐未免於虎口也。吳人雖知其神武，然鄙其女子，益無忌憚。會見兩陣對圓，身先士卒，所向無前，吳人始有懼色，亦不敢攖其鋒銳。如此之際，六、七月間，倘或望見，輒稱之曰：麗海婆王。却退走而不敢視者。有「橫肱探虎易，恐向婆王難」之句，自此聲勢大振，北來守牧，閉境自守。吳王聞之怒，乃命衡陽督軍都尉陸胤爲交州刺史，兼領校尉，將兵南來。陸胤爲人溫柔有節，與士卒同甘苦，再兼智勇足備。及聞女嫗強盛，以爲諸將不肯用力。「何物女子？乃至稽遲日月。」因此貶黜諸舊守者。於是整飭軍容，刻期大舉。

女媼亦引兵來迎，一日三戰，吳兵三北，相持五、六月間，夾陣交攻，凡七十餘戰矣。吳兵皆不能抵當，敗走而回，日月消磨，軍士折傷太半。胤懼吳王見罪，惶恐無地，乃收兵入城，閉門自守。女媼乘勢縱兵圍之，數月終不能拔。女媼求戰不得，將校日夜頗有廢弛，自以為吳兵窮窘，兔守孤城，亦不介意。胤因此密使細作，暗踰出城，打探虛實。始知媼雖智勇兼全，手能挽百石之弓，身能騎千里之馬，日食飯數斗，肉十斤，如此膂力，最可畏也。然平昔素愛精潔，尤怕穢臭不清之物，一或望見，則赧容羞眉，必停腳廻避，莫敢立視。胤聞得聲息，開暢顏色，大喜不已。諸將詢問其故，胤曰：「此敵雖強，我孤軍無援，惟以計取，不可力敵也。」於是下令齊整軍伍，遣人送下戰書。兩軍齊聲而出，圓成陣勢，女媼橫刀立馬待於陣前。未及交鋒，只見吳兵滾滾蕩蕩，如旋如戲，將校軍士皆赤身露體，腎囊莖子，大小成群。手持戈鎗，似風之擁。媼平生素多羞畏，今見如此形像，不勝悲恚。乃棄刀撥馬閉目而走，胤乘勝從後掩殺。媼兵大敗，死者不計其數，胤益縱兵圍之。媼見四下無路，乃剄頸死。是年二十三歲。於是將校皆降，三萬餘衆，州境復入於吳國矣。

未幾疫厲大作，吳人患者，日招枕席。陸胤患之，乃設壇祭禱祈安讖，凡七日夜。是夕三更時候，夢見女媼身被鎧甲，手持長矛，咬齒揚眉，詈不絕口。胤驚懼而覺，別自思曰：「南方英氣，愈日愈奇，生前聲雄，死後猶昨，今我將就計策，庶或可除，亦是僥倖中之一也。」乃遣工人刻作莖子數百枚，盡畫其體狀。凡諸房戶，處處懸之，疾疫從此頓解，人皆以為神驗云。

夫人起丙寅，終戊辰，凡三年，奈何土民不知其非，至今猶以伊物奉神，何其愚哉？

前李南帝時，林邑寇日南。帝夜夢見女人一人，負陣冠甲衣，自言姓名，願從軍破賊。帝詰其狀，其人曰：「妾於吳永安間，屢經戰陣，未嘗敗北，不幸為彼所賣。歿後上帝獎其勇決，勅賜爲神，使主瘟疫，除邪滅鬼，一切蕩邪翼正之事。今聞大軍出境，請效微勞。」帝許之，及賊平，帝命立廟祀之。封爲「弼正夫人」。逮至李朝始崇加美字，追褒「英烈夫人」。陳朝加『雄才』二字；重興元年再加『偉績』二字；四年加『英敏』二字；隆興二十一年，加貞一夫人。以其有默相之功也。

萬春國帝記

帝姓李、名賁、字兼舉、龍興太平人也。其先祖北人有名李順者。西漢末，天下大亂，苦於征戰，挈室避居南土。李順卒，生子李衡。衡有材力，勤於農隙，遂致富彊，鄉人素所推服。衡生李能，李能生李茹，李茹生李和，李和生李軌，李軌生李威，凡七世，遂屬南人。

李威娶本州人麻氏賢而有德，內外家務靡不周齊。生八男，皆有膂力，屬鄉中之巨族。名其子曰清、曰新、曰貴、曰純、曰亨、曰潰、曰顯、曰鈞。宋元嘉間，李清率族屬三百餘人，隨刺史檀和之討平林邑，以功得準世襲，屬土酋。李清生李華，李華生李兢，李兢妻費氏生子天寶，次生帝，再生春、雄，凡四男，皆有氣慨，屬州中之長。

帝天資英偉，有文武才智。家世豪右，初仕梁，不得志，遭亂歸太平。時又有并韶者，富於詞藻，詣選求官。梁吏部尚書蔡樽以并姓無前賢，除廣陽門郎。韶耻之，還鄉里。時刺史武林侯蕭諮以暴刻失衆心，百姓怨望。并韶於是從帝謀起兵。先是蕭諮素愛帝聰敏，每召與語，多獎其英厲。因遣帝監九德州兵民租賦。」帝乃陰與連結數州豪傑，同時俱響應者衆至萬餘人。有朱鳶酋長趙肅者，服帝才德，首率衆歸附焉。兵聲大振，諮覺之懼，乃使人備將珍寶奇貨賄輸于帝，奔還廣州。帝遂引兵出據州城，是歲丁酉之梁大同七年也。

一日，帝謂衆將曰：「梁人北潰，勢必復來，保國之計，莫若守險。」乃以其弟李春屬征西都督兼校尉，將兵馬五千守峰州；李雄屬牙門將軍，將兵馬五千守九德；兄天寶屬監軍將軍，將兵馬五千守新昌；從侄李服蠻屬威遠將軍，將兵馬五千守日南。百姓安集，遠近民庶無不欣悅。忽聞細作報說：「內謂梁主聞蕭諮失守大怒，乃別遣衡陽校尉孫冏爲南平將軍；零陵都尉盧子雄爲副將，將兵十萬來侵。冏以春障方起，請待秋期。廣州刺史新喻侯瑛不許，武林侯諮趣之，子雄等兵現今已到合浦境矣！」帝聞之，聚衆商議。幷韶曰：「彼兵遠來，士卒疲弊，兵行千里，糧草不繼，步馬困倦，此取危之道也。況今歲逢壬戌，臘月冬嚴，年運其除，山嵐早占，有犯兵家之忌。臣請得精壯一萬，伏險擊之，如摧枯破朽矣！何足介意？」帝壯之，即以李服蠻爲左衞校軍，范修爲右衞校軍，將兵五萬，出屯雲林以備之。而以幷韶爲贊議使，趙肅爲接應使，三路齊發，取路征進。大兵將至合浦界首，與子雄軍相遇，趙肅出馬單搦子雄，兩馬相交，纔有三十餘合。幷韶在高阜處，望見子雄英勇，孫冏在後，如有憤怒之色。急將白旗一招，於是兩軍齊喊，服蠻領兵從左殺來，范修領兵從右殺來，子雄之師大敗而走。死者十六、七。盡棄其輜重，衆潰而歸，我軍大獲全勝。於是蕭諮乃誣奏子雄、孫冏等畏縮逗遛，以致失律喪軍。梁主大怒，皆賜自死于廣州之越王樓。捷音報到，帝大加稱賞。時年癸亥之夏四月，林邑王寇日南，守將李服蠻與之相持，未分勝負。邊書報至，帝乃命范修爲平林尉將兵擊之。大破林邑兵於九德州，斬首萬餘級，於是群臣人人上書請即眞號。

甲子春正月，帝因勝敵，自稱南越。帝即位，建元天德，置百官，制朝儀，定章服，建國號曰萬春國，望社稷至萬世也。起萬壽殿，以爲朝會之所。以趙肅爲太傅，幷韶爲太尉，范修爲太師，其餘文武百僚，竝拜將相官焉。梁主以梁嘌爲刺史，陳霸先爲司馬，將兵八萬來侵。命定州刺史蕭勃會嘌於江西，勃知軍士憚遠役，因詭設留嘌。嘌集諸將問計，霸先曰：「交州叛渙，罪由宗室，遂使溷亂數州，逋誅累歲。定州欲偷安目前，不顧大計，節下奉詞伐罪，當死生以之，豈可逗遛不進，長寇沮衆乎！」遂勒兵先發，嘌以霸先爲前鋒，兵將入境。羽檄報至，帝命趙肅將兵二萬屯雲屯；范修將兵二萬屯夾羅；并韶將兵六萬屯細谷；李服蠻爲游擊；李雄爲樵糧，凡六萬八千衆拒之。趙肅爲霸先所圍，卒于軍。其子光復率其衆潰圍走脫。范修并韶引兵救應，亦爲霸先伏兵所截。李服蠻奮身惡殺，左衝右突，殺開一條血路。謂范修并韶曰：「從我而出，可脫重圍。」范修曰：「爲將防戎，不克即死，是丈夫之用心也。」於是與并韶分左右翼再戰，身被七十餘創，皆死于亂衆之間。服蠻見二人已死，乃退保朱鳶。霸先乘勢圍之，四下走散，服蠻乃自刎而死。李雄收撫殘卒，退保蘇瀝江口，與戰敗回，遂與李春保帝奔嘉寧城固守。梁兵追及圍之，丙寅春正月，帝在嘉寧城中，被霸先圍困。

忽聞城中喊聲大振，急上城看時，見一少年將揮長刀縱馬奮戰。梁兵披靡不敢相近，大呼開門。帝急令李春開門接入。其人相貌堂堂，身長八尺，虎臂猿腰，氣力雄壯，乃趙肅之子趙光復也。光復奏曰：「城中困窘，內無糧草，外無救兵，不可久居，以取危敗，今聞新昌守將天寶尙有勝兵數萬，糧食充滿，可支十年。不如退守獠中，整兵再來，以圖進取，方爲勝算。」帝於是以光復爲大將；李春爲合後；李雄爲保駕，當日午時，放開西門奮然突出，梁人見之，不敢攔當，直望新昌獠中去了。霸先率衆追之，李春爲敵所獲。霸先既克嘉寧城，遂屯兵於江口。

秋八月，帝復率衆二萬，自獠中出屯於典澈湖，大造舟艦，充塞湖中。梁兵悼之，頓湖口不敢進。霸先謂諸將曰：「我師已老，將士疲勞，且孤軍無援，入人心腹，若一戰不利，豈望生全？

今藉其屢敗，人情未固，夷獠烏合，易爲摧殄，正當共出百死，決力取之。無固停留，時事去矣！」諸將皆默然莫應，是夜江水暴漲七尺，注溢湖中。霸先勒所部兵隨流水先進，梁衆鼓譟而前，帝素不爲備，因大潰。退保屈獠洞中，分守要害。治兵再欲出戰，以其地勢率皆岡阜，無安營屯札之便，乃委大將趙光復守國調兵以擊霸先。

戊辰春三月，帝在屈獠洞中日久，冒障病薨，群臣追謚曰：前李南帝。帝在位八年，起辛酉終戊辰，壽四十九。後土人思其功德，立廟于嘉寧城西以祀之。帝平生常服黑衣，夷獠人呼爲黑衣將軍，至今猶爲興化福神。重興元年，追尊天德皇帝；四年加『英銳』二字；興隆二十一年，更加『敦愼柔謹』四字。以有陰相默錫之功也。

一夜澤王記

王姓趙諱光復，太傅趙肅之子，朱鳶縣人，趙武帝之後也。王年少聲壯，勇烈多智，常從南帝征伐有功，拜左將軍。

初，王母鄭太夫人有賢德，爲鄉長人皆敬愛。年二十適趙家，有相者曰：「此女後必有貴，當出大成家之子。」及得孕臨盆時，一日午睡，夢見一人將檳榔一房，其菓鮮妍茂大，且曰：「賜以作種。」及至誕時，兩掌心裡各有黑子，眼光似電，喊聲如鑼。及長，膂力過人，能拔樹舉石。其父奇之，命名曰旭，字曰光復。因授以弓馬捧梢之術，凡攻戰秘要，竝以教之。常與張吼張喝爲友。食則同盤，臥則同席，相敬相愛，如親兄弟焉。

吼喝者同胞兄弟也，本快蘭州人。家資豪右，三歲喪父，同寡母居。年十五，母喪，吼喝極盡其孝。三歲廬於墓側，號泣終天。其叔悲憐，數以義方訓誨。後從叔出販朱鳶，寓於章陽渡口。一夜月明，天色光朗，吼喝兄弟，各備盾牌梢槊於州濱課習，輪撫舉措，俱合格式。江邊雜戶，皆來看視，稱贊不已。有人報與光復曰：「洲濱旅店，別有兩個客商，拳槊高妙，爲一時令譽。不覺這那少年，曷得精微之要？與子較比，縱不多讓。」光復暗自忖曰：「奇哉語乎！吾境內多有此輩，未曾居我之右。今忽聞此說，抑非天挺出耶？」遂與子弟六、七人俱就伊處，則月將西移，鐎鼓四點矣！竝不見一個往來。只有寒江漠漠，風色慌茫，將徘徊欲反，則啓明東生，而布穀已報曉矣！光復喟然嘆曰：「何地不生才？何才不資世？況今天下紛擾，四海鼎沸，若得群英一路，奇士同途，何患乎事業之不成；功名之不濟哉？」於是詢訪其家，方知是快蘭旅客。

原來旅客吼喝昨夜課鍊，不覺氣倦神昏，連綿倒睡，已至日上三竿，方擡頭醒起。其叔報與信息，二人於是揣衣而出。與光復相見，延入中堂，兩相對話，終日不倦。光復大喜曰：「昔劉先主得諸葛丞相於隆中，自謂魚水之會。今我得二子於章陽渡，亦似龍雲之勝也。」遂結爲兄弟，約爲刎頸之交矣。

乙丑六月間，從父屯兵於雲屯，爲梁兵所窘，旬日不能出。光復謂兩人曰：「敵兵勢強，我軍無援，爲之奈何？」張吼曰：「須請令尊斂兵南退。此處前臨海渚，後阻山陵，左右長條，只是一線之路，有犯兵家之忌；戰必不利，久守不便。」遂白其父，父叱曰：「將之在兵，以誅禍亂，廟謨明旨，豈可爲非？獨不聞『置之死地而後生，措之亡地而後存』乎？」張喝曰：「昔韓信料陳餘無能之輩，故用此計，今將軍卒用這策，以算陳霸先之衆乎？」不聽，卻爲飛砲所斃。光復大慟曰：「悔吾父親不用二兄之語，今果遭此事也。更將如何？」張吼曰：「機已如此，終莫可奈。須急埋瘞先尊，暗行成服，以義氣激鼓衆心。某願當先開路出陣。」張喝曰：「某留後以斷敵兵。」於是齊整事事具畢。當日午時，開放壘門，奮然突出。張吼當先，橫刀縱馬，單搦梁兵；張喝引兵從後掩殺。梁兵敗走，三人乘勢追趕，直望嘉寧官道而走。比至三十餘里，已見梁兵圍遶，水火不通，不覺南帝受困多時矣！張吼曰：「不因此時，殺入重圍，救出南帝，更待何時？」三軍一齊喊吶，分兵三路，直殺將來。梁兵知其救兵將到，勢不可當，解圍而退。三人保帝退入屈獠拒守。帝遂命光復爲征北大將軍，假節鉞，領平章軍國重事。張吼爲破虜將軍；張喝爲虎賁將軍，各將兵馬五萬以圖進取。

是年丁酉春正月也，我師與梁人相持，未分勝負。而霸先兵甚盛，恐其久拒，度不能支，乃商議退保夜澤。其澤在朱鳶，週迴不知里數，草木奔榛叢薄交蔽。中有塞地可居，四面泥淖沮洳，人馬難行。惟用獨木小舟篙行於水草之上，乃可到。然非諳識歧路，則迷不知處，誤墜水中，爲蟲蛇所傷死。光復諳得脈絡，率五萬餘兵屯澤中址。晝則泯絕煙火人跡，夜則以獨木小船出兵，三面刼擊霸先營寨。因而放火，燒燬殆盡，屍首滿野，殺獲甚衆，所得糧食爲持久計。霸先躡而攻之，竟不能得，國人號曰：夜澤王。

戊辰年三月，忽見信報：南帝在獠洞中病故。遂設壇舉哀成服，感動三軍。於是諸將請即眞位。光復乃即王位於澤中之基，號趙越王。張吼爲右將軍，張喝爲左將軍，齊封爲前將軍，黃材爲後將軍，汲寧爲贊議使，董平爲參謀使，夏郎爲協運郎，蔡徵爲督餉郎，其餘大小文武百官各陞職次有差。

己巳間王居澤中，以梁兵不進之故，焚香祈禱，懇告于天地神祇，至夜齋戒以求應夢。是夜三更時候，忽見一人頭戴綸巾，身披錦藍花袍，手執羽扇，腳踏綾鞋；軀長九尺，面如冠玉，鶴髮童顏，聲如洪鐘，騎乘黃龍自天而下。左右仙童玉女，環圍百輩，香氣馥郁，動蕩襲人。王益蒲伏哀訴，其人曰：「我姓褚、名童子、朱鳶鄙里人也。昔在雄王時，特以孝義感格天地，得道超升，聲靈尚在。今君爲國忘軀，正誠不輟，又能處恭叩禱，情感備至。昨因曹判具奏，略陳其誠，故奉上帝勅旨，默來相助，以平禍亂，以拯斯民。庶副宿昔哀求之念。」遂脫龍爪付王曰：「用此二微物，莫可視常，俾戴兜鍪上以擊賊。平生之望，足慰心腹，勿謂幽幻無覺，聊酬勤懇之感也。」言訖，復來乘龍旋空飄去。王率百官鞠躬下拜。王既得龍爪兜鍪之瑞，因以擊賊，所向皆潰。自此聲名大振，所向無敵。梁人驚懼，每望見輒曰：「趙爺之兵來了，須宜遠避。」

庚午春正月，梁王授陳霸先爲聲明將軍，特領交州刺史。霸先深恨王居深險，屢所攻破，士卒多被折傷，終不能拔。乃分兵爲八面，環遶澤堤，又因欲持久，使王糧絕兵疲，然後可以破之也。會梁有侯景之亂。召霸先還。乃委其將名楊孱者，擁衆以拒王師。王素知之，復會將軍商議。張吼、張喝齊聲出曰：「霸先英勇，號令嚴肅，我師屢勝，而彼恬然如故，是其諳於調遣，善於撫慰也。我師經營數年，徒費心力，不能獲咫尺之地，區區有一夜澤以爲根本。今率其去，是天賜我成功之秋也。事須早定，丕可遲延，彼若再來，則無用也。」王於是慷慨誓衆，大爲發兵進擊楊孱，大破之。乘勝逐北，吼喝奮勇策馬當先，舉手一指，刺楊于馬下。梁兵自此逃潰北歸，國內復平。王即日提率百官進據龍編城，定都居焉。自此百姓安業，禾穀豐登。王垂衣拱手於上，百司奉職於下，有太平景象之徵。

丁丑年間，忽見探兒馬報到：李佛子提野能洞兵率衆東下，今駐在太平地面，精兵猛將前來索應。王訝曰：「佛子，何等人也？吾久未聞其名。」有知者奏曰：「佛子前李南帝族，從南居于屈獠。今聞梁兵敗，歸來與我爭衡也。」王於是大會諸將，以張吼張喝各引一兵爲前驅；夏郎蔡徵各引一軍爲後應；王自將馬成龐英等爲中隊，進至太平縣界，與佛子兵遇，凡五接陣，未決勝負。而佛子少卻。佛子意王有異術，乃講和請盟。王亦以佛子前李南帝族，義不忍絕，遂割界于君臣洲，（今慈廉縣上、下葛二社是也）居君之西，遷烏鳶城。」（今慈廉縣下姥社，其社內有八郎祠神，卽雅郎也）而王亦遷都于武寧城焉。後佛子有子雅郎，求婚王女杲娘。王將許之，張吼張喝諫曰：「不可。」王怪問其故，對曰：「佛子狼子野心，終後必改。今若連姻，是樹兵而長寇讎也。不如絕之，以杜後患。」王不聽，遂成姻好。

王鍾愛杲娘，居雅郎爲贅壻焉。自此兩國結好，往來信息不絕。張吼張喝嘆曰：「此所謂『燕雀處堂，子母相呴。』諒乎？」佛子聞之，深以爲恨。二人乃辭爵祿，退歸田里去了。

逡巡日月，時適庚寅。一日，雅郎謂杲娘曰：「昔吾兩父王，皆爲讐敵，今爲婚姻，不亦樂乎？然此父何術，能卻彼父兵？」杲娘不覺其意，密取龍爪兜鍪以示之。雅郎潛謀易其爪。私語杲娘曰：「吾聞父母深恩，重如天地；吾夫婦甚相愛重，不忍契濶，吾且割愛歸家省親，後日必來團聚。」雅郎歸，與其父謀襲王取國。

乙卯李佛子偸盟，舉兵侵界。王初覺其意，倉卒率兵督諸將校，被兜鍪以待之。佛子之兵益進，諸將士從風奔潰，王自知勢屈，不能相禦。乃携杲娘南奔欲擇險地，以匿聲跡。所至，佛子皆踵其後。王引馬南奔，至大鴉海口，阻水不能行，乃仰天嘆曰：「悔不聽二張之言，今將奈何？天之亡我，吾窮矣！」父子遂投于海而死。佛子躡至，渺然不知所之，乃班師還，趙氏亡。王起戊辰終庚寅，在位凡二十三年。國統入于後李矣。

後人以其靈異，立祠于大鴉海口，（祠在南眞碑閬）以奉事之。至今猶爲福神。重興元年，尊封明道皇帝；四年加『開基』二字；興隆二十一年，加『英烈聖神』四字，以有陰扶默相之功也。

野能洞王記

王姓李、名天寶、前南帝之兄也。梁大同辛酉間，時北來守牧率多以貪殘暴刻爲能，士庶百姓無所措手足。往往各有觖望自危之念。侵漁百姓，苛法繁刑，凡一曉一令，靡敢差違。如探桂求珠淘金作玉之類，不計紀極，似此政典靡可勝言。其後，再加以補人頭之稅，每人輸納胡椒三兩，荳蔻一斤，琦璃一座，檀香二擔，至牛頭牢口各有定額；犀角象牙，亦有課期。以到年租賦稅，丁壯黃男，科選糾使，事繁政重，民不聊生。或有不供，罪及舉族。以至鞠妻賣子，猶不能自給。

時王爲龍興酋長，正當其役，憂懼震怖。動見顏色，一夜寢不成寐，坐臥不安。其妻羅氏莫知所向，詰曰：「家門機事，靡不停當，開闔經權，率皆如意。不審良人有何所思，更至如此煩惱？」王不答。其妻再四問之。王曰：「吾所思，非汝所擾也。」妻曰：「莫非時事紛紜，百姓倒懸如此者歟？」王喟然嘆曰：「汝婦人也，復能料物如神，況於吾乎！」妻曰：「然則良人之意，更欲如何？」王曰：「吾欲得黃金百塊，粟粒千箱，拯斯民於墊溺之中，措天下於太和之上；使百姓安於衽席，含歌吐哺之熙侖；奠國勢於石磐，醉詠康莊之景象。但恐力不從心，志與意乖爲然也。夫以蓄包含之量，如天地之無私，廣開拓之闢，如山河之不易，曷克計乎？」妻笑曰：「良人之慮，可謂廣矣！良人之志，可謂大矣！然謀慮在人，成事在天。苟人事既盡，然後歸之天數。且我越否運已極，豈非有一泰來之會？而北人志得意滿，安知非一頓之時耶？況今刺史貪殘，神人共怒，若吊罪之師一奮，則徯蘇之望咸孚。林林總總之民，如大旱得遇甘霖，揭竿爲旗，因耡而矛，遠近自然響應矣！且妾每恒情潛攬，竊窺二郎志氣不凡，後必有貴。撐天大幹，非彼而何？必欲謀之，事可以濟。」王深以爲然。自此陰行善德，賑貧恤孤，散財給客，闔境士庶多來趨附。會南帝起兵，海內大震。粱人北竄，境內漸清，帝乃以王爲新昌太守。

王到任時，大開政教，百姓樂業，自有太平之風。及霸先衆率來侵，南帝避居屈獠之時，王乃與族將李佛子謀曰：「我兵新集烏合之衆，安能敵北兵彊？今聞趙光復屯於朱鳶，與霸先相持，未分勝負，南帝屯於屈獠中，守險自固。粱人遠來，士卒疲斃，若用奇計，出其不意，攻其無備，必獲全勝。」王乃與佛子率三萬餘人，分爲兩翼，進入九眞。爲霸先所覺，埋伏追擊，王不意爲所暗襲，兵敗而走。乃收餘衆，走入哀牢夷獠中。見桃江源頭野能洞：其地寬廣稍平，四圍林麓，環匝突屼，田疇衍沃，可堪以居。於是築樹城郭，分立封墟，命其部屬別爲七十五莊。連落遠近，靖則爲民，動則爲兵，緩急相顧，如長繩線路。又命將校各率其一，以禦其衆。居之以安，因地名建國，號曰：野能洞。至是衆推爲王，稱桃郎王焉。是歲庚午之四月也。

王性寬而仁厚，率以慈惠撫物，及他旁國聞王之賢，多往歸附。王在位凡六年，至乙亥八月卒。無嗣，衆推李佛子爲嗣，統其衆云。王沒後，頗有靈應，士人立廟奉之。初王平生穿素服，時人咸稱爲白衣府君。至今復爲清都府福神。重興元年，尊封爲仁厚大王；四年加『弘信』二字；興隆二十一年，加『孚化敦義』四字，以有陰助默相之功也。

烏鳶城帝記

帝姓李、名佛子、前李南帝族將也。初帝父名李括者，南帝之再從兄弟也。母祝氏天生不養，後聞天慕寺爲當時名勝，頗有顯靈，凡人所求，無不徵應，乃往祈之。後果得胎生帝。以其禱寺得之，因名佛子。

三歲喪父，六歲喪母，家資窮困，悽悽無依。南帝兄天寶見而憐之，養爲已子。年十六好讀書，性聰睿彊記。後從武習，又能騎射挾弓刀牌楯槊，無不涉獵。常嘆曰：「大丈夫生紅塵間，當橫槊霄壤，立腳中原。展鬚眉於九五之尊；擐肱髀於百二之外。豈可黜頭觸足，瑣瑣久於此乎？」天寶聞而奇之。因娶與妻室，使監防奸細。會南帝起兵於九德，天寶使帝將衆赴會，累立奇功，封偏將軍。及天下平，隨天寶守新昌。未幾，梁人入寇。南帝失守，退保獠中。天寶亦敗。

時帝居在夷獠，收誘蠻兵，從後進發。行至那嶠，聞細作報到。帝奮勇直殺而來，與梁人相遇於九眞。大戰一陣，梁人退守日南，帝乃保天寶西走，擇得野能洞，地肥饒可居。遂起屯田，分建所柵，訓兵勸農。經五、六年之間，乃致殷富，其民生長可用。要欲出兵雪恨，又恐未諳賊情，未敢舉動。及天寶物故，衆復推帝以統其軍。先是前李南帝時，林邑寇日南，帝命范修張蠻討之。一日晝寢，夢見神女自稱女媧，具陳所向來歷。及賊平，帝嘉其靈，爲之褒贈。自此而後，已經十六、七年，兵火顚連，士卒疲弊，時更世換，非復前昔。忽一日，帝復得其夢，心中大喜，遂論動兵之策。是歲丁丑四月，大爲發兵，以王稍爲野能守，馮寧荀期爲左右護軍，徐寬牛淵竝隸翼保衝擊，龐奮爲前驅，魏含爲救應。大兵蕩蕩横横，直將東下，方知趙光復已定梁人，建號稱王，擁衆據守龍編城矣。帝回顧左右曰：「我素志雪仇，本在梁人。今梁人已退，光復據守，爲之奈何？」其將李普進曰：「光復原是先帝家奴，善謀能勇，今誅梁寇，恃才自雄。主崩而不奔喪，君子之道，有如是乎？因此一舉以問其罪，此古人聲罪致討之師也。」帝良久曰：「光復奉先帝命，克勦元凶，掃平禍亂，宜居我之右。且我總保野能之旅，都竝山居之民，平原大野，安能取勝？」謀士疏鮮請曰：「陛下洞弘廣思，誠可謂備畢也。然今入虎穴，豈可復退？是弱之也。不若驅兵掩擊，以觀其意勢。如彼彊梁，姑用柔和盟約，平分天下。徐圖計策，決取萬全，安可坐岩窟為貌守之計耶？」帝然之。乃引兵至太平縣，與光復兵相遇。兩兵擺開，凡五接陣，未分勝負。而光復兵益盛，帝兵少却。帝意光復乃先帝勳臣，頗有大功於國，義不忍絕；又意有異術，未能必取。乃講和請盟，於是兩家定約，遂割界于君臣州，東西分治。都烏鳶城，襲南帝位焉。

時帝太子雅郎年長，尚未納室。聞光復有女杲娘，美而賢德。乃遣使求婚，遂成姻好。雅郎留居武寧贅壻云。年華荏苒，序適庚寅，忽見雅郎回朝，帝急召入問之。雅郎呈龍爪兜鍪，因言曰：「天無二日，民無二王。我越南一境，豈有東西分治之理？」帝亦以為然。於是下議其事，衆心合如符契，帝遂御駕親征。以馬寧為正先驅，徐寬為接應，荀期為左搏擊，牛淵為右衝軍，龐奮為翼車將軍，督運糧道；魏含為御賊都尉，保護乘輿，命兄子代柎守烏鳶城。加王稍為野能洞刺史。大起精兵十萬，分為二十四路，隨地殺來，兵聲大振。光復自知勢屈不敵，乃携女子宮人僚屬臣庶數百人，望南而奔，不知所之。帝乃引兵還。雅郎心思杲娘，日夜悲哀不已，亦自縊死。帝憐其有功而無享，乃立其子師利為皇太子，立廟祀之。

初，帝求婚於趙光復，光復有臣張吼張喝者，切諫不許，帝心恨之。及天下混一，使使召之，二人念曰：「忠臣不畏死，壯士無二心，國破不徇身，主辱不能報，此豈丈夫志乎？安可改面易節而事仇讐乎？」乃逃隱于扶龍山陽。帝恐其為亂，乃購其首千金。二人皆飲毒死，天下聞而悲之。

帝既滅趙，即移祿螺武安二處，以太平侯吳憐尉同兄弟代權，守龍編城；安寧侯李普為大將軍，守大烏鳶城；遷都府于峯州城，自是而後，天下清平，百姓樂業，有康衢之慶。

庚戌冬，隋人來侵，帝遣大將軍馬寧以兵扼破之。隋人大潰而還，因為邊備，以防北虜。是時帝垂衣拱手於上，百司守宰各理其職於下，城門不閉，夜無狗吠。先是隋人敗回，又遭中國多故，因此未敢動兵。至是聞帝雄據嶺表，恐爲邊患，下詔廷議。丞相楊素進瓜州刺史劉方。有將帥之略。壬子春，隋主下詔以劉方爲交州道行軍都總管，總二十七營來侵。方軍令嚴肅，有犯必斬。然性仁愛，士卒亦懷其德，而畏其聲。將至都隆嶺，邊報四至。帝乃使大軍華英及校裨十餘員，將馬步八萬進屯拒之。官軍敗績，方乃率其衆南下，所向克捷，連破七十五屯。於是士卒各自逃生。劉方乘勢進圍帝營，諭以禍福。帝懼請降，方送帝北去，薨于武昌。諸將乃扶太子師利立于野能洞。癸亥亦爲劉方步將王請所獲。舊時將目桀黠者皆死之。凡四百餘人。于是我越屬籍，再入于隋國矣。

帝起辛卯終壬戌，在位凡三十二年，後民慕其德，立祠于小鴉海口安康場以奉之。至今猶爲福神。重興元年，尊封英烈皇帝；四年再加『仁孝』二字；興隆二十一年，更加『欽明聖武』四字，以有陰相之功也。

香覽枚帝記

帝姓枚，名叔鸞，驩州日南人也。其父枚生，母王氏，皆有賢德。初臨誕時，夢見一個少婦，身披紅粧，自稱赤衣使者。手提鷄山璧一顆，語曰：「送汝這件，須用以爲寶器。」王氏看見其璧狀如鷄卵而大，五色光輝，滾亂耳目。舉手相接，忽爲所失，落地破碎，因驚懼而覺。及生下，左股間有青黑點，宛然一片如錢子大。王母以夢告其父，父益奇之。因贊解其象，以爲璧接在手，忽然而落地破碎，飛散鏗鏘有聲，是聲騰震人之意。又鷄者，羽蟲也，更兼五色滾亂，用以作寶，有靈鳥五德之瑞。乃命名曰鳳，字叔鸞，蓋取夢中所覩，贊象而記之也。

十歲，母因採樵爲虎所害。父又尋沒。父友丁勢見而憐之，將回其家，視同己出。及長倜儻有大志。虎頭龍眼猿臂，勇敢多材，出人意表。丁勢愛重，以女玉酥妻之。玉酥賢而多智，善治內閫，尤長於農桑大務。以故家產日滋，門下益衆。先生二男，次生二女，長爲豹山，次爲麒山，皆狀貌奇偉，逮長文謨武算，靡所不備。帝大喜，以爲門堂有慶。內外諸事，莫不留懷。一日謂夫人曰：「男兒生不逢時，反遭否運，日征月邁，倏忽如輪，良可嘆也！今我素有清定天下之志，雲遊海內，以交結四方豪傑，同建功業。卿須在家保養吾兒，及勤攻農桑，貯積糧草，以待臨時之用。一一穩當，靡負我懷，實爲幸也。古人有言：『家貧思賢妻，國亂思良將。』卿雖未及古人，然於內政修齊，亦彷彿千萬之十百也。吾故敢以鄭重之托，卿其思之。」夫人曰：「郎君囑付，妾當奉其教矣！但丈夫當有弧矢之志，經營四方之雄，使百姓逕於堯天舜日之年，炎景換作海晏河清之會，實是望也。」帝大悅稱謝，曰：「苟得賢卿用力，我何憂乎？」

於是肆志江湖，訪尋遺士，得房厚、崔乘於華洋。與語終日，似有魚水之緣。後有一人姓伏、名長守，不籍而至。又有一人姓檀、名遊雲，與其友毛璜、松綬、薛英、霍丹、孔戈、甘奚、士淋、步蹇等，皆弓劍之士。聞帝之名，俱慕其信義而至，門下食客常數千人。一日，房厚與崔乘兩人私議曰：「我越自內屬以來，北人守牧率無請行。我爾二人，久潛丘壑，如蛟龍之處池中，會見風雲，須張羽爪。今枚君龍行虎步，有撥亂匡民之才，不因此時，展此羽翼，更待何時哉？」由是遂見帝請舉兵，帝佯如有難色之狀。伏長守曰：「唐人驕肆，日自張皇，繁賦重刑，人不堪命。昔湯武因時而動，後世稱爲聖賢，請熟思之，無任阻當。」帝曰：「吾素亦欲如此，但恐兵糧不敷，左右少援。」檀雲遊曰：「唐家內亂，宮妾縱橫。李隆基擅庶孽之權，樹不造之計。三思之黨，未克殄清，何俊之凶？且仍前障，此時此勢，曷可維持？或若海動鯨濤，自將瓦解矣！」于是毛璝、松綏二人奮然曰：「這此一事，主上猶狐疑不決，如欲結連外援，則南北兩藩林邑、眞臘可以徵兵矣！」薛英、霍丹齊聲出曰：「臣請使之，使二國將兵應援，萬無一失。」孔戈、甘奚、士淋、步蹇亦繼進曰：「臣願早建義旗，招兵應募，系須先舉，事不宜遲。」帝見衆心盡合，大啓宴筵，盡出家財，以奉賓客。於是招兵買馬，樹壘築塢。旬日間，遠近響應，有衆十餘萬。以房厚爲軍師，崔乘爲太尉，伏長守爲參謀，檀雲遊爲贊議，毛璝爲大中大夫，松綏爲治中內史，孔戈爲討虜將軍，甘奚爲定邊都校尉，士淋爲護軍，步蹇爲郎將。又分兵爲四道，每道再分爲三軍，軍一千人，中尉一人率之，以聽號令。復命薛公爲林邑通問使，霍丹爲眞臘語諭使，內外庶務，箇箇停當，兵聲大振。唐人守牧，望風奔潰。帝遂引兵進據州城，分兵拒守。群臣稱賀，請即眞位。帝乃即位于香覽之陽，自以水德，號爲黑帝焉。是歲癸丑之夏四月也，時唐玄宗之開元元年也。

由是海內大定，刺史曹眞靜退保桂山自守。次年甲寅，薛英、霍丹等奉旨宣諭二藩。二藩久被唐人扼辱，至是聞帝誥諭，各皆聽命。林邑王范湖顯使其將諸香安將兵十萬；眞臘王奚阿謙使其將參寧那將兵十萬來會。帝以遠方來庭，威名日著，唐人往往各自逃歸。遂定都建府，即於香覽地頭，大開宮殿以居之。有雄兵三十餘萬。自此而後，國富民安，邇遐夷落，各奉職貢。時適壬戌間，唐主內亂已定，聞帝拒命，乃以侍內楊思勗爲左監門衞將軍，元楚客爲都護府，督率水步七十五營，兵馬三十餘萬，水陸竝進，犯龍編城。官將敗績，將士死者無算。唐人乘勝直逼府城，帝陷陣崩，國統復絕，群臣文武多爲唐人所害；林邑眞臘亦爲唐將朱之悌所敗，各斂兵南竄。

帝起癸丑終壬寅，在位凡十年而終。後人追思功德，即於故宮建廟奉之，至今猶爲福神。重興元年，尊封英武神勇皇帝；四年，加『偉績威烈』四字；興隆二十一年，更加『明敏神武明德』六字，以有默運陰扶之功也。

唐林馮王記

膠水古唐林

帝姓馮，名興，字公奮。交州唐林人也。其先祖馮智戴，於唐武德間奉旨入朝，侍高祖宴。高祖使吟詩歌詠，與突厥可汗歌舞，得預御席。有胡越一家之贊。後頒回原籍，世襲本州庸吏，唐林土酋，俗號郎官是也。

智戴卒，子加蓋嗣；加蓋卒，子楊能嗣；楊能卒，子嶠能嗣；嶠能卒，子建起嗣；建起卒，子闔卿嗣。闔卿賢而有德。開元壬戌間，從枚黑帝起義，事覺失官，退歸田里，常抱悶不樂。夫人史氏窺知其意，語曰：「丈夫處世，何患浮沉？事之不濟，實歸天數。苟若鬱鬱于懷，自損平生志慮，豈不爲無益之憤乎？莫若重整英精，展開方便，紹箕裘於來後，述刻柳於先籌。別啓規模，長依天日，使一門克遂，求無他虞。雖不能着名譽於當時，庶可保軒堂之迓，不亦樂乎。」闔卿改容謝之。自此極力田園，躬行農正。數年之間，大致殷富。夫妻治產，資財累巨百萬，容奴畜婢，門下常數千人。

一日，闔卿他適故人朱舉家，至夜帶醉而歸。途中逢一黑漢，當路而立，往來行人，畏懼不敢過去。這黑漢自癸亥仁壽間，常起爲妖，百毒害人，百姓多被其酷。歷百餘年，含蓄天地之精，至此愈加昌熾，無所忌憚。或白日現凶，每拐小兒爲食，地方牧守，亦措手足，莫敢誰何；高妙法手，亦莫施其巧。至是闔卿乘醉拔劍斬之。俄聞東南地角，忽起戛戛之聲。闔卿震悚，急回家去。

其妖從此頓絕。一日，闔卿午寢，夢見三人，一人戴虎頭冠，身着大紅蟒袍，自稱大羅天使聖者；一人戴僕頭帽，身披淺青偏被，自號交海地官尊神；一人戴赤幘巾，身穿深碧錦衣，自號天罡武將。皆面貌堂堂，軀長十尺，有追風拔電之力。進到堂前與闔卿相見，要欲敍寒暄。時其人自言曰：「昨公有除黑漢之役，能普護濟解人危。上帝大加稱奬，以爲克清元惡，偉建奇功，故遣我就庭，永授使君成就。君其榮叨天爵，無得迴避。」闔卿大喜而覺，乃是西窗一睡，醒來依稀尚記其事，暗自思算，不知所謂。是月夫人得孕，懷妊一十四月而生，一乳三子，狀貌殊常。及長，皆有勇力，排牛搏馬，乃名，長曰興，字公奮；仲曰駭，字子豪；季曰顯，字名達。年十八，父母尋沒。兄弟三人，敦順孝敬，又能施仁造德，布義施恩，西南州郡，多得資助。

唐大曆丁未間，州城偶有崑崙闍婆之役，經略張伯儀攖城待援，武定尉高正平救破之。及正平代儀，擅作威柄，吏民皆苦之。未幾，唐帝以張應繼爲經略使。正平恐奪己政，鴆應繼。應繼左右呂元慶、胡懷義等，逃匿于興，謀舉事。興佐之以兵，使攻郡邑。正平告急于唐，唐帝乃以李復爲節度，將兵討之，懷義、元慶皆爲李復所殺。復遂宣諭唐家威德，又教百姓陶瓦鍊磚，修治城郭。引兵北還。興乃與駭顯謀據唐林，有衆數萬，相率服諸旁邑。興號都君，駭號都保，顯號都總，各守險要，儲糧蓄兵。正平患之，率師攻勦，終不能拔。逡巡歲月，凡二十餘年，兩相守拒，未決勝負。時唐貞元辛未間，正平爲政重歛，百姓不堪其擾，群情洶洶。興乃大會諸將，商議攻守之策，部下有一人進曰：「古者用兵多有詭道，臨敵出奇，料其勝負。今唐人內驕外縱，繩法苛求，上失天心，下乖民望，奈何主公自生疑慮，空守窮山。使兒手得撐螳臂於天衢，而吊伐之師，反作躊躕之不進者。臣雖不才，願拔一旅之師，直到龍城，梟正平馘，獻於階下。」興壯其語，引目視之，乃娑婆將軍阿家也。復有一人出曰：「願主公納阿郎之言，調兵六面，長驅直進，圍其府治，則正平首尾不能救應，自將瓦解矣。」興以其言爲有理，舉眼視之，乃本鄉人杜英倫之弟杜英翰也。英翰蘊學多謀，爲一時名望，興每以師友待之。於是帳下文武邵安、凌平、杜仍、趙舉、何遂、陸咸、劉嶠、鄜偃，齊聲應曰：「杜典史之言是也。敢請主公從之，臣等百出効力，萬保無虞也。」興大稱賞，遂以弟駭爲巨老都將軍，引兵一千，率邵安、凌平、杜仍、趙舉等，爲左右區，直抵龍肚北岸，以斷唐人救兵。弟顥爲巨力將軍，引兵一千，率何遂、陸咸、劉嶠、鄜偃等衆，分爲四隊，直進大羅南面，以絕唐人糧道。蒲破勒爲撐力將軍，引兵一千，率叔蹇、魯定、郤頒裡婁接等衆，爲討殄二衞，直抵蘇瀝東界，以塞唐人走路。以杜英翰爲大首領，杜英倫爲防備使，將兵一千，率欒爻、宋穆、張弘、衞均等衆爲防征，入壁巡守唐林、長峰諸州。會英翰爲仇盜所殺，持首馘以獻唐。杜倫遂勸興急進，興乃統大兵一萬，率褚炎、卜擔、田方、段貴等二十八將，直抵州治。正平亦將幕下將士四萬餘人，與之相持。大戰七日，桴鼓相望，唐人士卒死者無算，屍首滿野，血流成渠，珥瀘兩派水爲之赤。正平見其勢大，不敢再戰，退走入城，堅壁自守。興於是解分八面，會諸將合兵圍之。平正憂憤成病，發背死，唐將士皆降。興入城，將正平家屬誅之。遂據州府治稱制焉。未幾，得暴病卒。諸將皆立興子安爲嗣，率衆以拒駿，駿嘆曰：「勤勞之力二十餘年，不圖今日復見此事，天意未欲平越貂耶！且骨肉相殘，原非吉兆。」遂與弟顥棄其兵仗，變其姓名，隱居朱岩洞。國人以此賢之。後不知所終。安乃追尊父興謚號爲布蓋大王。蓋我國俗，父曰：布，母曰：蓋，故名。

是年五月，唐置柔遠軍於府治，而以趙昌爲都護。七年庚辰，趙昌率衆南下，軍將入境，所過屯寨皆破之，兵聲大振。諸將望風奔潰。戊子兵次城下，城中震悚怖亂，昌以爲安年少柔懦不足攻，乃遣使諭以禍福讓安，安恐懼，率衆迎降，昌以安爲司馬，綏撫其衆，由是諸馮將校皆散，國統復絕。惟杜英倫、杜英翰等不受昌命，爲昌所殺。王薨後，能顯靈應，衆人以爲神，即於都府之西，立祠奉祀，凡有偸竊不明之事，就祠盟誓，立見吉凶，故香火不絕。

迨吳先主創業開國時，南漢兵入寇，先主頗以爲憂。夜夢見王身披鎧甲，督領雄兵百萬，將校千員，各持弓鎗戈戟旌旗象馬甚盛，與先主相見。自稱姓名，因言曰：「蠢爾草寇，何足掛齒？我姑代賢卿一臂。」先主異之而覺，及賊平，詔建其堂殿，嚴備葆芳黃纛，銅鼓羯鞞，歌舞音樂，享以太牢之禮，歷朝沿革，具遵古禮。龍興元年勅封孚佑大王。四年加贈『彰信』二字。興隆二十一年，更加『崇美』二字，以有陰扶默相之功也。

王起唐代宗大曆丁未二年，至德宗黃元辛未七年，凡二十五年，其神祠在奉天府廣德縣盛光坊籍田東西。

新訂較評越甸幽靈集　卷二

歷代人臣

安池靈郎錄

王本鴻厖正派、百粵次宗。昔貉龍君娶帝來女嫗姬，生百男，（其事跡已詳嶺南摭怪。）後各分一半，別爲山水兩家，主司一方，均掌黎庶。而大王乃蛟族赤甲之長，號威靈郎，與弟五人受封于此，即白甲、黃甲、黑甲、青甲、朱甲、紫甲者也。厥後英靈愈赫，保物護民，屢有顯應，崇加隆秩。

逮陳聖宗時，正宮明德皇后，年華三十敍，尚未有出。常幸其祠，密祈子嗣；又素愛牛淵風景，每玩其間。忽一日晝睡，夢見一人面如冠玉，脣若塗硃，頭戴雲冠，身披錦袍，前來作賀。語曰：「某威靈郎也，久王於此。今見聖駕辱臨，日錫隆寵，無可以報。昨因上奏天宮，已蒙御允，勅下降塵闇矣。」俄而驚醒，遂得孕。歷一十四個月，誕出一胞，是年辛丑之二月初二日巳時也。帝后以爲不祥，乃密遣宮女暗藏於圓箕中，將棄此處。往來行者見而異之，遐立覬晲，不敢近視。

及日上三竿時候，忽聞胞破，其音如雷。鄉人急就看時，則其胞已開，而男子已露矣。仰臥箕裡，啼響如鐘。於是遠近喧鬧，聲徹宮中。帝后各以爲怪，再使宮女潛行觀之，見其狀貌清秀，凜烈穎異，復命奏聞。帝笑曰：「昔高辛氏元妃有姜源者，生子后稷，其事類是耳！烏足爲怪乎？」乃復收還養之。五月能言語，周年能行走，行處坐臥，屹如巨人。帝后因此器之，屢蒙優眷，日加變愛，因命名威郎。

及長，聰明資智，博學高材，遠近稱之，如出一口。年幾二十，最好遊方，屢表求出家，帝后皆不準許。遂更衣微服，遁之南昌，即於禹甸邑邵陵康公家受業法教。未週數月，釋門經籍無不涉獵。日征月邁，多所補益，由是上通天文，下達地理，九流三教，無所不精。尤長於偈辭疏說，沙門僧衆，率皆服其高妙。帝后聞之，每加稱賞；因遣使召還，賜宅於南郊平康店，飍給月俸，以爲容閒養靜之地。如此經二十年，迨仁宗朝，元將唆都將兵四十餘萬，水陸竝進，分道入寇。國內騷動，朝野震怖。一日四、五驚恐，王奮然興起曰：「人生天地紅塵間，要礌落出人意表。丈夫須志在四方，馬革弧矢之場耳！苟不徇濟時艱，何以銘名史册，而揚名於後世乎？」乃上表具陳方略，自乞興義師，以討彊賊。帝益壯其志，許之。

王於是糾率門下，起慕義旗，招得戰士銳卒，有衆萬餘人。分補隊伍，課鍊陣法，自號爲禪子軍。進襲元寇於盤灘，破之。乘勝逐北；又拔元虜於東枚江；又會日礄與道等兵於萬刼營，以備調遣。後又與元寇戰於幔厨，再拔東結寨。一日八鬪八克，斬首三十餘級，擒其將幹離利羅，捉獲士卒者甚衆；元人從此恐懼，再不敢加兵矣。由是海內清定，重睹太平氣象。後以平元功加封霪霮大王。是年三十六歲矣。於丙子年秋八月午時無病而終。帝后哀思不已，即於所棄處立廟祀之，名曰：昭殿；又曰靈寶閣，一名靈郎聖寺。再於平康駐所，崇建祠堂，以褒顯明德。至藝宗朝，有默錫功，再加美字爲翼正顯應孚佑大王。其弟六人，亦預登秩：白甲爲伏魔大王，黃甲爲明潔大王，黑甲爲弘紹大王，青甲爲東峨大王，朱甲爲芳巴大王，紫甲爲東殳大王，以獎奉之。至今靈應愈赫，歷朝得霑隆祀典，預列上等最靈之秩云。其祠在奉天府廣德縣安樂坊，其連處守隸寨亦有之。

灘瀨皐公錄

公姓皐，名魯，乃蜀貉安陽王之良佐也。俗號都魯，或曰石神，竝失訛矣！昔唐懿宗咸通壬午間，南詔入寇，都護王寬、蔡襲、張茵等爲所攻破，逗遛不敢進。於是都護侯旨孜薦高將軍高駢代之。

駢慷慨引衆而南，督勵將士進攻拔之，蠻寇掃清，境內復平。駢乃將兵巡撫州郡，軍次武寧地頭。是夜夢見異人，身長九尺，戴金星兜鍪帽，穿鐵朵甲袍；手投開山大斧，腳行象皮烏舃；金裝束帶，面貌崚嶒，氣勢軒昂；膂力雄壯，騎九牙白象；引青藍衣部卒，風擁而至。駢慌茫接衣而出，延入堂中，敍禮而坐。其人曰：「我戊甲天羅神將也。姓皐，名魯。於蜀安陽王時，有旋斡國勢，規畫輒多稱旨。預蒙眷注，得列勳臣之位。經營疆宇，纔數十年，庇國護民，屢加厚賞。上意自此親愛，莫可勝說。後貉侯見我得幸，恐我盡奪其權，故日夜圖謀譖我於上；上遂親信而疎於我。竄我于此，以終天年。且貉侯平生率皆以譖佞成性，惡人勝己。以私濟公，彈唇口以媚君心，飾巧詐以欺群下。上不之覺，以爲忠賢，而不知其惑己也。趙佗求婚，彼勸勉之，以成其親；仲始留贅，彼褒美之，以縱其毒。我一時頗料其奸，以爲不可。冒陳衷曲，以阻其非，誰曉甘言甜舌之辭，易以便投其隙；而正藥苦意之告，却反以取其寃；此彼所以輒獲其慶，而我所以抱無辜也。因此飲恨，不捨于懷，懊鬱彌深，含笑入地。沒後，上帝憫爲人臣無咎；一向忠誠，隆獎美加，得補庶職；預列群仙籍簿，欽待天庭，勅賜一帶江山，管領灘瀨都將軍，行當境城隍之事。凡征伐寇賊、旱潦稼穡諸公事，皆我主之，爲一方之福神，奠民康國役也。今日我提率青藍部卒，盡調闔境大小神兵，合八十五神官、一十四萬神將、三十九萬神軍，護持明公討平逆虜，撐扶社稷。四載于茲，使百姓安於枕席，寰宇泰然，復回本部。若不與公相見告謝而別，似無人情，頗獲非禮之笑也。是故敢自唐突，不嫌愚鄙，庶不負相知之責。」駢因設宴相待，與之會飲，因言曰：「某雖愚魯，頗奉天詔至此，吊民伐罪，以理天民。幸得與古賢相謁，聊爲魚水之有緣也。茲者逆寇清夷，黎庶復業，巡省疆宇，以看農時，遭際無期，偶得多蒙訓誨，似爲萬幸。然向承尊諭，聊已備詳，不覺貉侯何等心地，有此不容之量，而更與相公何事相嫉之如此？請備指顛末，庶得聞其要領也。」

其人曰：「幽明兩途，總同一轍；陰陽二路，豈有分歧？明公既已不棄，我安敢有隱諱？但恐壁耳風聞，竊知主意，機事不密，竊恐洩之，反作荒唐之議，有關世教耳！」駢因折箸爲誓：「有即席之間，惟公與我；縱若知覺，何必爲嫌？倘若明其聲跡，莫不重加讚美，而揚崇之也，無足慮者。」其人曰：「安陽王素禀金鷄之精，性愛水而惡陸，所以易於聽受；貉侯係是白猿之精，性喜木而傲風，所以易於攀躋。而某原爲石龍之精，持性嚴直，不聽艱險，孜孜汲汲，清靜自持，到使鷄猿相合，與龍相克，職此故也。」言訖，泯然。

駢悟而醒起，心中叮嚀記識，依稀彷彿其像，乃與官屬備語其略，宰太牢祀之，題詩于廟二首云：

美矣交州地，悠悠千載來；
古賢能得見，終不負靈臺。
百越奠區宇，一漢定山河；
神靈皆佑順，唐家景初延。

時從行有鎮軍校尉曾袞者，見高經略得此奇夢，擊節稱賞，因贊之曰：「越地山川，唐家人物。應人間之瑞氣，自感動于鬼神；號南國之江山，勝神龍于蜀地。交州休蹙額，今再睹昇平。」

先是大灘河中流有一龍窟，精英愈赫；常化作少年郎。舟行商賣，多遭沒溺之厄。人皆恐懼；每先祈禱于神廟，輒獲清吉，無風濤之患。相傳成風，人多致敬，至今猶然。重興元年勅封果毅大王；四年加『剛正』二字；興隆二十二年，更加『感惠』二字，以有陰佐之功也。

龍渡蘇公錄

公姓蘇，名瀝，世爲龍渡鄉山令。家居鄉江側，五世同居，子女五百餘口。族屬和睦，無彼此之嫌；長幼有倫，備尊卑之禮。仁讓不爲私產，豐荒散給因循，以是人多贊譽，遠近歆慕。晉大興戊寅間，舉孝廉科，預補本部提舉。因見時事多擾，數以辭諫刺史陶侃，以爲南州荒遠，屢遭寇賊，兵行千里，糧草不敷；莫若薄賦輕徭，征討屆期應辦，以充軍國之用。遂不聽。公出而嘆曰：「天生蒸民，各有司牧，救焚拯溺，有如是乎？且古人行一不義，殺一不辜，得天下亦所不爲。今乃竭人之力，浚人之膏，以滋所欲，自謂聖賢而獨不厭其己之過，豈有仁民之意乎？吾生長南方，潛知其咎，盜賊繁起，良由苛求，而不知警省自修之實。我若久居其位，皇都萬里，洞達無門，赤子寸懷，應可動憫。上無益於宸斷，下無益乎小民；枉抱空名，濫施虛惠，獨不畏乎？」遂辭職歸田，無求聞譽。人皆稱賢，屢辭不就。刺史陳奏其節。晉帝美之，蠲錫戶口，旌表門閭，詔賜兩丁以奉衾枕。又合本道四時撫問。年九十一而卒。因其前臨江渚，乃命號焉。迨唐穆宗長慶中，都護李元嘉見龍編城北門有逆水，恐州人多生叛意，乃擇相吉地，別建府治，移其故處。其規宇經營，即是蘇公故址。又慕其盛名，釃酒致奠，立祠奉之，號都主城隍廟焉。是後境內昇平，士庶樂業。元嘉以爲百姓安集，遠近帖然。天應禎祥，禾生五穗，遂大開歌樂，便作昇平之會。於是治中府下，百姓官僚，亦各具陳勝席。如此之際，不可盡述。

一日，元嘉在廳堂視事，至暮始歸。是夕寢臥不安，鬱鬱不快，乃伏燈下倚卓觀書。頃時間，忽而睡熟，夢見一人。竹冠皂袍，乘白馱驢；手執鹿尾，蹣躚一擁而至。從後跟隨人衆，皆英俊彥麗之士。元嘉慌忙，急接衣而出，迎入堂中。兩相對扆而坐，元嘉目盼其人，鶴髮童顏，形容古怪。心裡徘徊，疑惑不定。暗自思議，久亦不知何人。乃低聲語曰：「本職久居於此，未得與尊翁一面，今日辱臨會坐，得沾賜教，不勝欣幸也。」其人曰：「特爲賢侯過愛，屢蒙餘誠，苟無一與講談，恐未遂嘉崇之報，故敢自來分說，得無信乎？」元嘉曰：「願聞其詳，庶得備聞要旨也。」其人曰：「我一生素以誠信爲主，凡諸過惡，靡有所玷。於晉大興中，預舉孝廉。濫鑒本轄厥職，偶爲時勢多乖，屢陳經歷，要欲使百姓安於枕席，啓堯筵而慶都俞。誰知毒藥苦口，難於施行，空附髀而長嘆息。是以辭職歸田，永依天日。樂妻孥於茅屋，飯疏飲水之閒，熙性命於衡門，夜寐夙興之適，所以逡巡歲月，壽終於家。上帝嘉其清謹，勅賜爲神，專主福國庇民之事。今又爲君所覺，微構堂廡，以顯銘于世。使君再委以城隍之任，苟能教訓城中屬居民者，盡心折節，方能聽命，以同居之。我姓蘇、名瀝是也。」元嘉驚喜交集，因而醒覺，正是三鼓，時屬甲辰之冬十一月也。

自此顯應愈滋，英靈最著，崇隆敬止，倍加香火焉。初，元嘉將築小城，有相者曰：「君力不足築大城。五十年後，有姓高者，於此定都建府。」逮咸通中，交州有南詔之役，總管高駢增築大羅城，有不節民力。公復應夢，告以禍福。駢愈加欽奉，尊號都府城隍神君。及李太祖龍興啓運，以華閭地險，不足爲帝王居，下詔都于龍編城。公常應夢現身，拜謁稱賀呼萬歲。帝益奇之。及醒起，帝以夢語群下，有知者具奏前事。帝喜曰：「朕順承天命，肇鼎開基，新建興圖。而鬼神見助。意者皇天降福，以助朕躬，克享隆平。大清國勢，有如是乎？」於是群臣稱賀，乃命禮司祀以太牢，祭以醇酒，封爲國都昇龍城隍，位列大王之秩。重興元年，勅封『保國』二字；四年加『鎮靈』二字；興隆二十一年，更加『定都』二字，以有陰弼之功也。

南平二張錄

二公兄弟也。吳南晉時，姜黨李暉據西龍州，無有進貢稱臣。王下詔親征，軍次快蘭江口。是夜，王駐蹕寧宿江邊御營。徬徨方寐，忽見兩個異人直前奏曰：「依山負固，阻水屯兵，積草貯糧，恃險拒要，逆亂猖狂久矣！今賊人軍排牙嶺，依山傍岸於林麓之地，樹起寨柵，意欲抗禦天師，以爲持久之計也。臣等久居此野，探得賊中眞情，請從助王師，剪除奸賊。」王不知何人，良久視之。見一人立在左邊，頭戴金嵌琉璃冠，身穿銅結密藤袍，手持大長鎗，腳踏青蛇襪；身長九尺，藍面而髯髯，宏額而赤鼻，威儀凜凜，猙獰可畏；一人立在右邊，頭戴巴戟烏銅冠，身穿鐵鱗細片甲，手持鰐皮盾，脚踏黑石櫂；身長九尺，白面而青鬚，紅唇而黑齒，氣勢堂堂，相貌可觀。王怪，問之曰：「卿等姓甚名誰？住居何處？孤久未嘗識面，今乃却欲從吾遊乎？」二人皆對曰：「臣等兄弟也。本快蘭州人，姓張氏，兄乃名吼，弟乃名喝，皆趙越王時將也。昔越王過於仁愛，蜂致袖中，臣等力諫不聽，卒爲南帝所併，以亡國家。臣等當此之時，縱有千鈞之力，亦何能救？遂變其姓名，竄逋遠徙，蓋欲田園村鄙，以終天年。後南帝既定天下，聞臣等兄弟之名，遣使召臣。臣等以爲君臣之義重於天地，烏可以一旦易節反面事仇者耶？縱人有所不知，其於冥冥之道何。且忠臣不事害已之讐人，安忍作此禽獸之行？是故投身岩窟，不辭丘壑，隱名匿跡，棲于快龍之山。未幾，有人訴與南帝，南帝以臣等爲賢，欲得委以閫寄。臣等以爲義不可辱，召之而不從。南帝因此觸怒，遣將督兵，身自御駕，追尋不獲，人或讒譖，後且作亂等語。南帝因此生疑，下詔廷議。群臣以養虎遺患爲對。於是頒下勅諭，傳檄四方，購得臣等首級者，重賞千金。旬日之間，誦聲廣布。臣等進退無路，自料難逃漏網。又以人生紅塵，惟名與利；捨此之外，更有生死兩端。況適逢其時地，是死得其死矣！青春白髮，影響閻浮，苟不先圖，悔之何及？遂召其妻子，囑以後事，皆飲毒而死。沒後，上帝憐其無辜，嘉其節操，勅賜爲神，于茲已數百餘年矣。今聞聖駕遠行，特來扈侍。若不明其去就，不陳其根由，恐未瀉片點難伸之狀也。」王曰：「卿等忠義，燦如日星，上帝鑒其忠誠，已得知要領矣。然則官居何職？所主者何事？可得聞乎？」二人曰：「臣等本無他長，惟有廉勤忠直之一節耳。曩日定江龍君獲奸民女之咎，事覺被謫，伊職缺員。因此列曹提舉，勅補灘河龍君，連處一帶水陸。兼領武、諒二江，凡支蔓源流巡撫江都副使之任。統管黨京一百八十神官，一千九百神將，屬調八十餘萬神兵，侍衞內從皆碧衣校卒，此其職掌也。」王曰：「既如此重用，可謂權傾閫外矣！」二人曰：「向者先王百勝之後，臣等皆有助順。雖幽顯之異路，然臣等事君一也。」

王意悟而起，因酌御酒奠之。未幾，李暉兵潰，退保陶丘崑嶺以自固守。這崑嶺屹立，高倚天際，內中歧路，只有羊腸一線之跡。進征之際，不可躋攀，將士皆有懼心，因屯營山腳平地處。是夕，王復夢見二公，督引兵馬，皆鬼神狀貌，旌旗翳日，劍戟如林，不計其數。大會快蘭江口。其兄治兵自武平江經如月郡入富良江源頭；其弟治兵自市椂江經安還郡入南平江口，浚上源頭。王深感其顯應。及賊平，王使使者各立廟祠奉之。詔封其兄為「大當江護國神王」，建祠于如月江口；封其弟為「小當江護國神王」，建祠于南平江口。

迨李仁宗朝，宋將劉彝等將兵十萬來寇，帝以李常傑為平虜將軍，李常顯等為校尉正戰使，提兵八十軍營，士卒二十餘萬，進兵拒之。常傑令諸將巡遶江邊，築柵固守，相持月餘，未決勝負。一夜，軍士於祠中忽聞高聲誦詩曰：「南北封疆各別居，星分軫翼在天書；鯨吞狼噬貞無厭，會見塵清掃太虛。」果然靈應。至今猶為福神，靈應如昨云。後龐雲庵有詩讚詠題廟壁曰：「累朝各分帖江門，偉氣橫橫兀自尊；大節燦明浮日月，孤忠清顯對乾坤。勞勳功事應難擬，慷慨心胸也篤敦；赫奕香流千載後，翠精高吊古英魂。」重興元年，加封大當江為如月克敵大王，小當江為南江追敵大王；四年再加大當江『善信』二字，小當江『勇敢』二字；興隆二十一年，又加大當江『助順』二字，小當江『顯勝』二字，竝以有陰佑之功也。

愚謹按：張吼、張喝與王叶、王噕，俗傳混雜，難以考驗其實。且吼喝生於趙越王時，叶、噕生於前吳王時，世代年紀，相隔五、六百年，間斷甚遠，豈可錯認，彼此不明乎？且王家與張氏機事雖異，而形跡彷彿相似，因此追古跡，詢叩耆人，皆依倣含糊，無所關究。故某敢訂于後，以待後來參考。（張吼一本作張叫，未知孰是。）

步頭李公錄

公姓李，名服蠻，隆興太平人，前李南帝時將也。昔李太祖新定天下，以四方清平，臣民奉職，欲省察宇內，巡撫邊氓。於是下詔刻日進兵。百官扈駕從行，旌旗蔽日，時大軍將進次古所渡步頭望江行宮津側。是歲癸丑春季，百花盛開，山川穎異，帝笑謂大臣曰：「朕自即位以來，勤勤懇懇，未有妄作妄行之事，以勞萬民。今適這那麗奇，風景可愛，天地秀氣，萃臻在斯，豈不可謂樂遊迓勝乎？」遂命厨官大啓盛筵，以宴群僚。歌舞迭奏，帝乘醉酣，心神如有所感。索酒酹之江中，祝曰：「此間山奇水秀，草木繁茂；花菓百類，人物攸熙。苟有人傑地靈，神祇擁護，幽明夐問，陰陽難知，一點誠忱。用此薄酹，願其默運，受吾明享。」至夜席散，時帝寢帳中，帶醉尚未睡，命一二大臣講易說理。帝接枕而寐，忽見一陣冷風，從坤申起，吹入帳中，燈滅復明。再見一人，頭戴幞頭巾，身穿紅蟒袍，掌執龍牙圭，腳踏鰲頭舄，高大肥壯，面貌熙怡，俯伏御前，稽首再拜。帝引眼注視良久，不識是何官屬，因何職役，來侯在此？認其面色，彷彿如有所曉；想其姓氏，茫然若無可追；暗自思量，終無所定。乃曰：「夜深如此，不覺有何緣故？賢郎暫退，須待天明來見，勿煩久侍。」其人曰：「臣本鄉人氏也，姓李名服蠻。今聞聖駕御臨，爲此特來拜謁，無他故也。」帝見言乃伊處人，乃慰勞賜坐語曰：「地方清夷，百姓樂業，因此便行省方，有何震動？君本伊鄉人物，須以此意達之，使自知曉，無用惶恐。」其人曰：「非臣之所職也。臣非人也，乃鬼也，安能管人間功役？」帝訝曰：「卿云是鬼，則有陰陽異路，曷能得見？而又何爲却來與我相見耶？」其人曰：「幽顯雖殊，其理則一，無所異也。但臣奉上帝令，管那一條江山。今適駕臨，欲敍生平業果耳！」帝曰：「願聞其詳。」其人曰：「臣昔在南帝時，官受將軍之職。以忠烈知名，授以杜洞唐林一帶江山，夷獠知名。迨梁人來寇，臣以身許國，卒於王事。上帝嘉臣忠直，居職肅清，勅賜爲神，守職如故。夷獠雖有狼子野心，亦不敢侵犯邊民。一方晏堵，再請略陳其一二功績，以干聖聽何如？」帝曰：「君第言之，無不爾聽。」

其人曰：「昔隋世衰，唐祖肇位，臣常率鬼兵從太守丘和破寧長眞於夷石口；代宗時，再從經略張伯儀敗崑崙闍婆於朱鳶；又從高都護破南詔，及吳先主破南漢，丁先皇平使君，黎大行退宋師，如此功績，又皆竝預。先是唐憲宗時黃洞蠻引占城環王入寇，賊人拒夾山鎭，守兵敗北，朝野恐懼。本鄉之人，聞臣之名，立祠奉之，以是盜賊不曾入犯。今幸陛下御駕，辱臨敝邑，洪霑洪福，請矜憫下情，是其賜也。而臣之守職，更倍於前朝矣！」既而從容吟詩曰：

天下遭矇昧，忠臣匿姓名；
中天明日月，孰不見其形。

言訖，隱然不見。帝以爲怪，驚醒，因以所夢詔下朝議。時公卿大夫皆集御院，左校尹梁文仕奏曰：「神天神也，能保民亦能護國。既然應夢，是明其靈，以此論之，惟神要請陛下顯立形像之意也。」帝悟，乃命工部加建鳩工，督率州縣爲之壯麗。設造神像，其狀一如夢中所見，遂爲一方之福神云。

迨陳朝元豐中，韃靼入寇，直犯境界；敵將忽然墜馬，不敢馳驅。遣人就廟祝禱。時鄉長有名范全備者，洞知韜略。聞得消息，藉神威力，乃糾率鄉兵數千，埋伏廟之兩旁拒戰，敵却爲所敗。斬虜首數百級。然卒不敢侵入民境，遂退屯遠邑，如有防護者，秋毫無犯。及賊平，上尤加稱賞。重興元年，勅封澄安大王；四年加『聽威』二字；隆興二十一年，更加『佐國』二字，以有陰扶之功也。

那山黎公錄

公姓黎名奉曉，清化那山人也。其先祖黎式，乃黎天福之族弟，有功受封，定藩于此。式卒，子綻襲爵，而公即綻之後也。

公稟質魁梧，形容奇偉，美鬚髯，多氣力。弱冠遊梁江，適中輸古碑二村相爭田界。中輸有名佐力甚銳，古碑不能勝。公見而憐之，乃細問其眞由。方知中輸自恃多人刼寡，欲奪古碑地分，兩相攻擊，幾月餘矣。公忿謂古碑長者曰：「爾直彼曲，我姑救之。須待我一飽食，然後戰可也。」衆人從之，爲之盛饌具陳；大開盤宴，大小次第，畢畢排會，一連凡二十餘供具。公一皆食盡，撫腹而起，人皆異之。會中輸佐力率衆來戰。公奮然而起，便以手拔取苗芽一叢，連莖帶根，趨來夾戰。佐力抵擋不住，望後便走。公乘勝追擊，爛額折腦，破首傷胸者，不計其數。盡略中輸所侵之地，復還古碑。是役也，名震遠近。時太祖巡狩封疆，適逢其會；見公驅衆如虎入羊群，無有一人敢當其鋒者。上大加稱賞，乃使宣公入覲，因擢補宿衞力士之職。公自入侍之後，日夜勤勞，多得稱旨。未幾，遷武衞將軍與譚坦之郭盛溢李玄師曾世則等同列。

及天子晏駕，太宗奉遺詔即位，時皇叔翊聖王武德王，與皇太弟東征王同謀，相率本府衞兵入伏禁城，向大門內爭入攻擊愈急。俟太宗至襲之，太宗覺變，追悔不及，謂左右曰：「我於兄弟無所毫負，今三王行不義，欲圖大位，卿等以爲如何？」李仁義曰：「務遠圖者忘近功，存公道者割私愛，此唐太宗周公旦出於不得已之舉也。陛下以爲貪近功溺私愛耶？而三王憑陵愈肆。」太宗嘆曰：「不圖今日復見此事。」於是王季番等提率宮中衞兵，開門出戰，兵刃既接，未決勝負。

公見之甚怒，遂拔劍告太宗曰：「今日之事，惟有劍耳。臣請以劍從事如何？」太宗許之。於是揮劍策馬入於萬衆之中，直至廣福門外。大呼曰：「汝等竊窬神器，欲奪國權，上忘先帝之恩，下背臣子之義，我奉曉捧劍爲獻。」乃直犯武德王前。武德王素知公英勇，不敢交鋒。引馬欲避不及，馬忽前蹶，公因舉手斬之。三府兵大亂，內臣曾世則引宿衞兵從後夾攻，大破其衆。官軍追殺殆無遺者，惟東征王翊聖王僅以身免。公以戎服獻於太祖柩前，然後詣乾元殿奏捷。太宗勞之曰：「吾觀唐史見尉遲敬德匡君之難，自謂後世人臣無可比者，及遭今日之變，乃知奉曉之忠勇過於敬德遠矣！」公再拜曰：「此國家洪福，陛下盛德耳！使天下之人莫敢萌心異圖，臣奉命上下神祇，皆效力奔走，而誅滅之。臣何功之有哉？」後拜都大將軍侯秩。

甲申明道間，侍太宗南征占城爲前鋒，大破虜兵，名震藩國。及凱還論功，上欲重隆位號，公辭曰：「不欲爵賞，願得立冰山遠擲大刀，驗墮官地內，貽以作業。」上從之，公遂登山之嶺，一擲遠十餘里，墮多廩鄉，即以賜之。再詔以公田在伊鄉者十餘畝，銘錫公爲私田，蠲赦斫刀穀稅，擬世世子孫奉其香火，以旌表其功焉。故愛州賞功，有「斫刀」之號云。

公壽七十三歲卒，後頗有靈應，土人奉以爲神。凡有懇禱輒得吉報，至今猶爲福神。重興元年，勅封都統大王；四年加『匡國』二字；興隆二十一年，更加『佐聖』二字，以有陰佑之功也。

都護范公錄

脫軒詠史詩云：袍袞軍前翊聖明，赤衣夢裡受恩榮；欺孤旣不堅臣節，主獄如何審重輕。

公姓范名巨倆，黎大行時人也。昔李太宗朝，帝以都護府多疑獄，士師不能決，欲得彰着靈明，庸塞奸詐者，乃沐浴焚香奏請天帝。是夜，夢見一人，身穿紫紅錦雲袍，頭戴金珠絳幘帽，手執白華龍角笏，腳踏碧綠虎頭鞋，黑面虬鬚，軀長十尺；形容寬碩，威儀凜凜。自天飄騎白驛駒，落雲而下於龍墀，與帝相見。帝奇之。因問曰：「子甚處人氏？更着有何神術？乃能騰雲駕風，自空飄下者耶？」其人曰：「某赤衣使者也。昨嗣君以決獄不明，囚多陷戾，恤及民隱；仁聞于朝。又能刻柳寸虔，求告于帝。帝甚加稱賞，群仙翼獎厥誠，每爲奏請，以表嗣君默禱至恭之實，仍此頒公議，故某奉上帝口勅到也。」帝曰：「口勅若何？願以賜教。」其人曰：「賜范巨倆爲都護府獄訟盟主。」上顧問使者曰：「是何人也？主典我何局？」使者曰：「乃黎天福時太尉也。此人敦厚有加，正直不輟，盡忠報國，以義徇君。昔雖少點微瑕，無妨於事。是以帝君校簿，奏準其功，預補南閻臺局，主管中司福祿廳曹，官屬大僚之職。以其宿緣猶濁，前根未清，特權賜宰人間主典按獄之事。嗣君須可愼記，切勿有阻。」言終，忽然不見。上悟驚起，暗自思想，撫顧于懷。

迨至天明，乃宣召百官大會殿中，以夢中所睹播告群臣。於是左右臣僚無敢有一排指者。時郎中將曾世則在旁，出班奏曰：「巨倆者乃武寧州牧令公范占之孫，參知政事范曼之子，北軍都督范溢之弟也。占昔佐吳先主有開國功，官授銅甲將軍，食邑於蕉，人號爲蕉邑。蓋以慈惠素包，人賴其德，故也。曼佐南晉位居參政之列，因諫唐阮之役忤旨歸家。及天下板蕩，吳使君召拜都護。溢佐丁先皇時，官授內史校尉，奉公勤職，先皇常稱之曰：『廉能持節，克格維勤，正直一心，鐵石難轉。』巨倆亦以兄故，預在典兵中尉。及廢帝嗣位，黎大行居攝，溢退而泣者三日。巨倆諫曰：『天下事已如此，兄可趣就，苟自抱悶，徒爲哭泣之事，以損生平志慮也。』溢讓之曰：『任汝自爲之，我今老馬無能也。』後與阮匐丁佃曾舜天等同謀，不克遇害。巨倆歸附于黎，有拒宋寇之功。初爲都尉，後拜大將，又扈從征占城。屢有陷城獻馘之勇，以功拜太尉。及中宗卧朝間，竝有勳烈，再加功臣官掌統軍大使，累世相繼皆有功；爲臣事君，並得令譽也。」上深以爲然，乃命工司相地，即於城南門之西街，大起鳩工，整建祠堂，擇吉日祀之。又命禮司撰以美字，封爲弘聖大王，崇加尊重。凡獄訟有未能決，即於祠前盟誓，以決嫌疑，永爲恒式，又號正大獄神。

是夜，上又夜見公具衣冠趣前拜謝，因言曰：「臣平昔素以誠正一節爲人所知，但拙於趨時好功爲短耳！今得幸聖上洪恩，下濟隆功盛秩，敢銘肺腑不忘矣！」上益異之，乃命文臣鐫石爲碑，祀以殊禮。重興元年，勅封匡國大王；四年加『忠武』二字；興隆二十一年，更加『佐治』二字，以有陰佐之功也。

龍康李公錄

公姓李，名晃，字曰光，李太祖第八公子也。母貞明皇后黎氏，賢而有德。年十八始入宮爲婕好，二十四爲賢妃，二十五而誕公。公爲兒時，寡言好善，廣學高見，行處機智，屹如巨人。一日閒侍，帝問曰：「爾長且如何？」對曰：「大丈夫生天地間，志在弧矢四方，經營宇宙，使士庶群黎咸被聲教。如稷、如契、如皐、如夔，黼黻皇猷，以享都俞之治，是其望也。」帝奇之。乃召母黎氏謂曰：「吾兒後必過人，志在道德，非在功名也。」勇敢有力，忠孝恭謹，有王佐之才。初號八郎皇子。於乾符有道間，選試義安州，使居職數年，無毫毛之利。英豪屬望，上美其才，賜以殊禮，官授太子太傅。

未幾，加知州軍民事，時占城王自謂險遠，負固不臣。帝每遣使賚詔旨諭之，輒爲所拒。帝每含容赦而不問，至是乍斗與弟他婆剌等不和，持兵相攻。而他婆剌兵敗，乃與其徒樂舞白夔羅繼阿撻剌五百餘人，直詣州城投降，乞爲內附。幷陳乍斗殘忍少恩，逆天凌縱之罪。公乃上表奏聞。及邊地如盛波女和諸塞口，各加完備，以待征進。時帝銳平四海，忽聞表到，乃謂左右曰：「朕即位已十六年，而占城未有一個使來，意者朕之威德不加乎？抑彼自恃山川之險遠乎？」群臣對曰：「陛下之德雖加，而威未廣故也。」

甲申明道春，帝御駕親征，以黎奉曉爲先鋒，曾世則爲騎尉，大小將校凡四百餘員，督率八十五營，水陸士卒總十餘萬。旌旗蔽日，劍戟成林，船騎雙行，望南道進發。旬日抵義安境。公親率州中文武，迎于本轄界首；其糧草什物，應備軍資，個個停當，靡所欠乏。帝大加稱賞，賜黃金五百斤。時大兵進抵麻姑山過河腦，飛騎回說：占城王傾國來拒，大陳兵馬于五蒲江南岸。帝乃使奉曉以一軍舍舟登陸，從登昌道暗襲其後；曾世則以一軍披藤附葛，從隘雲山攻其左；韓昌岐以一軍含枚取路，進扼眉塢以斷其右；彭大年汲長平各引一軍，分部士卒，建旌鳴鼓以威振之；耿德安馬定隆各引一軍爲正戰大將，帝自督率大隊人馬在後接應。於是三軍雷動。耿德安奮勇當先，徑渡擊之，四面夾攻，大破占城之衆。斬占主于陣，俘虜其妻妾二女及奇珍異寶可以萬計。凱還日，寧宿于州之行宮。上嘉公勤於幹辨，公事無缺，加頒節鉞，封爲日南郡王。勅賜管領本州一路帳籍，府四、州九、縣十八、塲四、甲六十、戶四萬六千四百五十有六、口五萬四千三百六十有八。公自是始稱王。凡有奉令諭告諸塲甲名者，今後只稱大蕞管甲，不獲如初。其有司職掌，並稱主簿。先是本州西南一帶，山谿夷獠多以險固不有臣屬貢者。至是聞王令名，各遣使乞屬役者。所獲州五、寨二十、冊五十六、峒一百八十二、戶一千三百六十有二、口四千六百八十有八。王因奏請于朝。上乃詔委令王方面持節，便宜施量。王於是照度本州三邊之地，築碑立誌以定疆界，牢固邊境焉。

迨聖宗龍瑞太平間，翕喝塲李雲等潛逆，因布流言，謂王專政，恐有不利于社稷。由此朝廷見疑。王意避嫌，請解職歸第。王任州始終凡十六年，政令寬簡，教化百姓以仁義忠孝之道，養生送死之節；使父子兄弟和睦相從，敬愛不輟，闔宇翕然向風；爲禮樂文明之俗，以名節聞于朝廷。解職日，吏民攀車涕泗以千數，皆珠淚汎瀾，如喪考妣。街中雲旦爲之罷市，趨途餞送，往來如織。王還第未幾薨，沒後頗有靈應，謝表請立廟祠于州治以奉之。蓋其惠澤日深，弘感于民心也。凡百姓或有所得時宜新鮮香異者，皆就廟前致敬，不敢自專。而王英靈日加，所叩必從，所求必應，遂爲一方福神。以至龍康村落，皆有創祠奉祀。凡歷朝帝王有征不庭，御駕經過其地者，皆遣禮司致禱，幷迎請王之裝首被服，使之前行，則洋河帖靜，無波濤之患；而御舟安妥，疾迅如飛。倘有所違，必獲遲滯之應。

陳元豐間，南征占城，船行如風，果獲全勝。及還至州，命官行奠，勑封爲威明勇烈大王，以表旌其勳勞。重興元年，加封『顯忠』二字；四年加『佐聖』二字；興隆二十一年，更加『孚佑』二字，以有陰佐之功也。

太和李公錄

公姓李名俊字常傑，昇龍京城右伴太和坊人也。其父名安語，官授崇班郎將，世襲簪笏。母韓夫人，賢德具著。年十八適李家，有相者曰：「蠶眉鳳尾，皮膩脂香；誠實其心，貞信其節，眞令德之婦也。後日必生貴子，名聞天下，爲一時英傑；非王則侯，靡小可之相也。」李公慕其名，因求納爲室。韓氏賢而且美，性氣敦厚，齊家理事皆合禮格；奉先順族，人俱以賢行許之。年二二十誕公，二十四誕公弟常顯，三十二而夫以公務被戍象林邊地，病卒。

時公年十三，聞父病故，悲號哭泣終日。與母韓氏哀痛不已，身披衰絰，曲盡其孝。姑夫謝德見而憫之。一日謂韓氏曰：「賢侄年猶童稚，志慮行處總非尋常。須許入學堂，使講讀經典，後日騏驥靡不卓名于世也。」因語公曰：「令郎心有所好乎？」公對曰：「儒業雖佳，但描批筆楮，浪道古今，徒自拊髀長吟閒求故事，非所以馳名萬里，建不造之奇功，是不願也。」謝德曰：「然則意復如何？」答曰：「但願文纓墨綬，展青紫於周召；武著令名，撐貔虎於伊呂；上則致其君於堯舜之君，下則濟其民爲唐虞之民；使人至今尚追思功德，香留口頜，名震如雷，雖鄙婦亦皆仰而資之，是所望也。」謝德笑曰：「如子之說，無乃太過乎？其次如何？」答曰：「文學不須多，苟知字記名足矣。武學願如衞青霍去病，建功名於萬里之場，觀取封侯之印，如探囊取物也。」謝德曰：「如此之言，猶爲可望。」遂教以太公孫吳之學。夜則誦讀墳典理政臨民之書，日則弓馬楯射安營布陣之法。未幾，六藝串通，無不涉獵。謝德嘉之曰：「古人有云：『所求皆稱意，有志事更成。』子書劍不讓韓彭矣。第武功雖高，文理不貫，亦碱砆之與美玉爭光，豈不爲世人之所鄙薄乎？」公再拜曰：「謹受教矣！請從明誨。」于是反身儒學，日夕憂勤，旬日之間，大有補益，辭高意麗，竝出衆人之表。謝德愛之，以侄女淳卿爲配。年十八，母亦寢病而沒。公悲號無地，戚戚終天。與弟常顯臥苫枕塊，晨昏供獻，身自理作。服後，以父蔭預侍潛邸，官授騎馬校尉。

公氣質高大，多勇悍，兼謀智，有王佐之才。李太宗時，帝壯其面貌揚逸，擢入侍衞內直。乾符辛已間，以諫赦儂智高事忤旨，議下公腐刑。時公室已生下一男二女。公乃退還田里，無意於時。後帝思公，復召入侍，充黃門祗侯侍中，累遷內省御都知事。迨太宗晏駕，聖宗纘嗣，有翊扈功，拜捧衡軍校尉。

公平昔素以勤愼爲節，居職恭謹，無纖毫過失。前奉按察爲清華義安採訪使，西南境界，五州六縣三源二十四峝，吏民戍拒，歷遭獠貍逆命，侵擾生動，邊氓少寧。公以便宜撫治，悉鎭服之。占城王制矩謀叛，數以兵寇掠郡邑，上乃下詔御駕親征，以公爲前部先鋒；公因舉其弟常顯扈從征討，以常顯爲贊騎武尉。大軍進懷仁界首，與占兵相遇，公與常顯分爲兩翼截擊山谷，斬首三萬餘級，俘獲其主制矩。進軍出塞三千餘里而還，以功除敷國太尉，遙授南平節度，同中書門下上柱國天子義男敷國大將軍。及聖宗即世，仁宗緒承大位，加敦國太尉親衞大將軍大司馬，任大臣職。英聲照曜，上每贊拜而不名。號曰：尙父太宰。

乙卯間，宋知桂州劉彝，性貪勇決，聞我國多有寶貝貴物，要欲圖利，乃誣奏宋帝，以爲我國有不臣之罪，數以兵犯內地。宋帝怒，乃命劉彝提調邊務，齊集兵馬，繕舟船，習水戰，禁州縣不與我國貿易。邊報四至，詔下廷議，攻守未決。先是帝聞王安石爲宋宰相，創定新法，吏民往往苦之，欲興兵以討其弊；及聞邊報；帝喜曰：「吾舉兵有名矣！」乃語百僚曰：「坐待賊至，是守困也；不如因彼未動，我先發之，使他兵疲氣沮，銳力盡挫，我兵所至無前，師必行于席上矣。」乃以公爲平北大將軍，宗亶爲副率，調四十將軍，八十二營，充領馬步雄壯之士，凡十餘萬，水陸竝進，船騎雙行。大軍所至，宋兵皆望風奔潰，遂拔欽州破廉州陷邕州。斬首四萬餘級，宋將張守節將兵來救，公遣騎將延成侯曾成德等迎擊於南寧關，大破之。斬守節，於是邕州守蘇緘自殺。所獲軍資器械，重寶婦女，不可勝數，耀武揚威而班師焉。威名大震，桂廣之人望見旗號，皆曰：「此南格李爺之軍也。」輒設香案，伏道拜伏。

原來公入宋時，先揭露布，以聲宋人之過。其露布曰：

天生蒸民，君德則睦；君民之道，務在養民。今聞宋主昏庸，不循聖範；聽安石貪邪之計，作青苗助役之科；使百姓膏脂塗地，而資其肥己之謀。蓋萬民資賦於天，忽落那要離之毒，在上固宜可憫。從前切莫須言，本職奉國王命，指道北行，欲清妖孽之波濤；有分土無分民之意，要掃腥穢之汙濁，歌堯天享舜日之佳期。我今出兵，固將極濟，檄文到日，用廣聞知。切自思量，莫懷震怖。

露布一出，宋人皆鼓舞歡喜，以故兵無血刃，而建大名。及凱還之日，各備牛羊酒食，以勞王師焉。後宋人以此爲恨，屢將兵陷睦令平順等州，送兵至鬼門支稜諸地面。帝復遣公督率大隊兵馬拒之。公乃命諸將分屯築柵，建立城郭自月德江至武平源，凡五、六百里間，桴鼓相望，旌旗灼爍；相持月餘，未決勝負。宋人水土不服，疾疫大作，不能進師，復仇雪恥。於是遣使求和，割地定界。公亦知之，不忍加兵，由是始定邊界。宋人以六縣三洞歸我。宋人有詩曰：「因貪交趾象，却失廣源金。」以諷之。兩家和好已成，遂各班師，自是民兵始得休息矣。

帝以公能勤幹大事，製曲褒賞，重加殊禮，壽七十八歲而卒。沒後頗有靈應，人多欽仰其功德，立祠奉之。至今猶爲福神，凡有祈禱，輒獲徵兆。重興元年，勅封忠敷公；四年加『勇武』二字；興隆二十一年，更加王號及『威勝』二字，以有陰佐之功也。（祠在廣德縣南同寨）

靈霪穆公錄

公姓穆名愼，廣德瑞璋人也。其先祖有名蘊者，自少最諳水性，尤長於抛網撒罟之藝。於黎天福間，以捕魚得幸，充雲水隊爲侯人。蘊沒，子坡復承其役。景瑞六年，侍牧魚宮中，日得寵遇，陞爲水機坊尉。李太祖即位，坡以目病不堪應務。其妻卞氏問曰：「水手之高妙，我家素備其旨。今君子以假托之計，佯作目疾，以辭干祿，是憂貧賤而棄富貴矣！豈不聞古人有云：『一藝精一身榮』之說乎？」坡曰：「汝婦人也，且猶知之，況於吾乎？但念我家以一攻魚之小藝，幸享洪福，榮仰天恩；飽暖克傳，歷已數世。宸衷厚遇之德高大如天，今不幸而亡，雖肝腦塗地，無所報補。故區區之誠，含愁度日，豈可貪干求之祿，而待于名器之秋耶？」妻笑曰：「夫子之言是也。請坐看廟堂之上，總是何等人物？縱豈不知其理，而若是其然乎？」坡曰：「子之所言，皆禽犢而冠裳也。吾乃人類，烏作此無類之態耶？」妻曰：「夫子之見，猶鵞毛之撥水也；却不聞饑寒切身，不顧廉恥，一日無再食則饑，終歲無制衣則寒。目前利害，在此不遠。」坡終不聽。妻又曰：「不有遠慮，必有近憂，一日不繼，悔之何及？且黎家廊廟之臣，尚頗曲身從李以圖進取，況於我門一小藝；豈忠節之所及哉？」坡曰：「亂臣賊子，皆出於女人也。昔韓信不忘薄飯，豫讓不背智伯，至今香人口舌，雖死猶生。是以壯士殺身以取義，烈女括目以示信，凜凜千古，明如日星，舍此不爲，顧乃狗彘而作乎？」妻不得已復曰：「君既抱其名分以守高節，我兒年已加冠，何不使代其職乎？」坡可其語。因奏老倦不堪，請進其子以充水手之用。

其子名闔，形容寬碩，狀貌秀顯；性好善而能施，心寡聞而雅量。年四十未有出，於龍瑞四年，其妻凌氏始得奇孕，懷妊十二月而生，只有一塊赤胞，其色如丹，有光照室，衆皆以爲怪。閱七日而胞破，挺出一個男子，皮膚瑩白，潤淡如錦絲狀。三日始能乳食，十日始能啼泣。初欲棄之，以其目眼英明，神色溫煖，因此不棄。周歲始能坐，五歲始能行，飲食如常，不喜遊戲。其父喜告其母曰：「吾有後矣！此子終是箕裘之兒，克紹衣鉢，其在此乎？」乃命名曰愼，字曰公和。

及長，容顏秀麗，膂力過人。一日，帝幸南池玩蓮花之勝，公從父侍御舟，帝見其狀貌，因頒其父汰老，而以公充其任。時適會豐中，帝命駕遊霆霔（今西湖）登泛釣艇，以爲觀魚之樂。將至中流，當日午刻，暑氣正烈，倏然陰雲布合，漫漠蔽空；冥靄渾渾，昏霧勃起，兩面相顧，難相辨認。帝大驚，俄聞有棹船之聲，自遠達近，其搖櫓聲戛戛之狀。帝急持長矛投之。忽聽咆哮呻吟，冒霧中到，帝慌忙無措，急令左右以手共持之。須臾霧散，舟中有虎，身體長大，渾如巨牛；黃色玄紋，異耳鈎尾，眼光如電，吼聲似雷；磨爪契肱，磋齗可畏。侍御文武，震慓失色，又手中無有寸刃，難以抵敵。因此徬徨撐跑，舟幾覆者再矣。

先是公世業，本以抛網得幸，雖不預於親勳大臣，然咫尺天顏，每得備其顧問。是日抛網船頭，忽見如此之事，乃大呼曰：「事迫矣！不入虎穴，安得虎子？」即截魚網一發，撒罩遮覆虎上，用力一躍，早扼虎背而捥其前之兩脚矣。虎既爲公所壓，氣力倦戾，不能轉動。於是左右同來幫助，各用繩索繫縛緊定，頃刻之間，虎形漸散，露出人形，視之，乃太師黎文盛也。帝大怒，詔以鐵枷鐵鎖檻囚之，謫于宣化，數載而死。

原來文盛於乙卯科預中明經博學，帝愛其辯博，選充侍講之職，後得寵遇日隆，愈加眷注，陪奉旦夕，優厚無比。未幾，官拜太師，位在勳班之列，遂致驕肆萌生，潛心簒逆故也。初，文盛父文盈，於太宗朝爲侍中都郎騎尉。適西農州儂存福叛，從帝北征，俘獲其衆，歸于京師。存福部下有一少年裨將，狀貌奇古，亦被獲中。文盈見其饑，憐之，多賜與飲食。其人思感愈切，及恩赦得釋，自詣文盈致謝。因言曰：「某大理國人也，昨爲存福所欺，以某爲參謀兵務。曩者朝廷所執，公特憐賜厚遇，以故得全性命，無可報答，請入爲奴，塡此功德。願勿阻碍。某素家傳多有神妙秘咒幻化之端，眞絕世希見之術也。今聞令郎年長，請以授之，庶報萬分之一也。」文盈大喜：「乃收用爲奴，使與文盛同處，盡以其術教文盛。文盛頴悟特達，遂備得其傳焉。及爲太師，潛萌異圖，會帝幸霆潭，致有是役。帝喜公有勇烈勳勞一時。嘆曰：「昔成湯得伊尹於有莘；文王得子牙於渭水，皆卑賤下品，能挽乾坤於不遠。茲我得穆郎亦類是耶？」乃封公爲驍騎將軍，後陞輔國王秩。壽四十五，無病而終詔贈太尉賜謚『貞毅』。

沒後頗有靈應，帝命工司構建祠堂，塑起神像以奉之，祠之左側，有一古楓樹，約大百圍，高千尺，根蒂屈曲如龍蛇狀。中穿成窖，深圓徑大，裡有錦文白蟒雌雄一雙；長可三尋，巨可四寸。每朔望蟠伏祠下，頭目仰上，如朝拜之狀。夜則回窖，至今猶爲福神。重興元年，加封忠武大王；四年加『忠惠』二字；興隆二十一年，更加『武亮』二字，以有扶默相之功也。（祠在奉天府廣德縣瑞璋坊網市。）

天幕都尉錄

公姓李，舊本失其名，官授都尉，不知何代人氏。或云名雄，前李南帝之族將也。未知孰是？因渡河遭暴風溺水而沒。夜現神容，告于村人曰：「我平昔以盡孝事親，和睦九族，以盡忠報國，撫臨萬民，區區之誠，一以言順名正爲己任。昨因進討不庭，偶爲波濤所溺。沒後，上帝憫其全節，嘉其能守，勅賜爲江口神。主治一帶三千餘里，統掌鬼神兵凡二十萬人，均監水火盜賊奠國福民之事。恐汝昏昧愚痴，迷而不悟，以故降神現體，須以告之，使各自觀，勿謂我爲荒唐妄誕也。」言畢不見。時適春令，是夜中村會合數百餘人，以爲賞春之慶。忽見現報，各自驚異，相率立祠奉之。其後英靈愈著，人有所求，無不如約。是故人皆崇敬，香火不絕。每月朔日，常有修蛇短蟒自江洲起，就於祠前庭下，仰臥向內，如朝伏之狀。人皆見之，無不戰慄恇怯。然往來出入，亦無侵害。

陳元豐間，韃靼入寇，其將名合觧，（音害）將騎馬數萬犯平屬源。邊報，京師震恐。帝乃御駕親征，大小將校該四百餘員，內外水陸步騎諸軍三十萬餘，擡夫義戰，不例此數。以陳輔陣爲征虜將軍，領選鋒遊擊正戰大使。帝自將督戰以合後。命太尉陳日皎爲破虜將軍，領龍鳳魚蛇虎豹鸚鵡等戰艦，率水師進拒瀘江口。是夜駕至天幕江津次，駐蹕祠下。帝大會百官議以戰守之策。三更席散，帝徬徨倚枕，忽然而睡。夢見一人身長九尺，鐵面虬髯，圓眼大塊，鬔眉高臉；首負錦繡間金羅平項帽，軀穿龍會慶雲綠緞袍；手執犀角笏，足履黑絨花舄，昂然而入，立於御營石砌上，不言不笑，凜凜有大臣風體。帝視之良久，不知何人。乃問曰：「卿何方人氏？官居何職？隨某奇衞兵馬久候在此？從來朕未曾經一面。具詳明白，庶可定評。」其人曰：「臣天幕江口人也。姓李，官居都尉之職。昨承上帝勑旨頒賜守把伊處，于今已六、七百年矣。」帝驚曰：「據如斯言，然則是神耶鬼耶？」其人曰：「臣昔以忠誠一節徇國亡軀，上帝監其丹忱，崇隆禮秩，茲適北虜越境，要欲將兵出拒界首，以攖其鋒。忽聞陛下駕到，因此趨朝拜謁，庶表孤懷，勿謂幽明玄窈，陰陽間隔也。」帝曰：「然則卿之奉上帝命，守把疆界，如何又來見朕耶？此必有休徵之報，請以詳示。」其人曰：「陛下只宜在此，不須遠幸。」語終不見，上寤而覺。乃召百官語以夢意。群臣皆稱賀曰：「陛下洪福，神明徵應，必有全勝功效之兆，眞吉慶之至夢也。」上大悅，於是命有司宰太牢之禮，就在祠堂致祭。次夜，帝復夢見神人來謝曰：「陛下放心，勿須煩惱。現今百神各起神兵，拒扼險要。賊兵雖衆，亦不敢攔擋到此。」帝方欲詢以後事，其人忽旋風飆去。帝寤而醒，心中大喜。益嘉其靈感，差官增起祠宇，重啓鳩工，香火氤氳，倍加于前日矣。

及賊退去，天下清平，勅封都天大王。重興元年，加『惠烈』二字；四年，再加『威武』二字，興隆二十一年，更加『助順』二字，以有陰護之功也。

新訂較評越甸幽靈集 卷三

灝氣英靈

麻雷大帝傳

大帝原北方偉氣玄天眞君，即武當山之靈跡也。昔蜀安陽王時，王築螺城之役，大興土木，暫啓平基，樹建經營，纔成纔毀，幾五、六月，功造不就。王初未覺其故，乃畢力百工諸事畢舉，日久進發，未克如願。及得靈龜降符，神猷振麗，方知是積年寢深，妖邪構障，千年枯骨，結以成精；冒自凌僭，害及平民，牽纏至茲，非止一日。王深以爲念，乃用意勦除，妖氣從此始滅。

及秦將任囂南寇，境上干戈屢起，擾攘草莽，爭戰相尋於其間；以致孤魂餓鬼，因之而動，疾疫大作，枕席相屬。於是百姓愴惶，依投無所。其舊年妖怪，藉辰凶荒，鍊習凶邪；呼群結侶，興妖作孽，暴虐盛行。禳餞雖勤，酷烈愈肆，逡巡歲月，猖獗益甚。至有白晝現形，嘲奸婦女，人民恐慄，莫可奈何。民物彫耗，未可遽說。而王又爲秦將龍川令尹所賣，以致南溟奔竄，無復自持。南國山河，非復昔日之宇宙矣！

及趙武帝肇位，興圖復正，規模日新；帝以螺城小狹，不足爲帝王居。乃下詔遷都，以定國鼎。即於番禺地面，築城開池，以爲長計；而別遣二使典主交趾九眞二郡焉。

時交趾大使姓劉、名揆、字公範，乃武寧州本處人氏。其人寬厚而好施，慈善而敦明。自幼出仕，未嘗回省家鄉。至是奉勅就任，因此暫回故里。見其村民蕭條，人民漂散；惟故園荒草，古樹侵霜，不覺淚下，流浪如雨。嘆曰：「人生紅塵，如閒雲皜月；光明圓缺，總是花朵風聲。未幾星霜，便是荒涼記憶，尤可嘆也。」乃尋故舊詢問其故。方知地方百姓，每爲妖氣侵擾，日夜皇皇，無門控訴，以至是耳。乃焚香祈禱，奏告神祇天地，請以消災降福，護物康民爲念，如此者已經十餘日矣！忽一夜雲霧布合，天地幽暗，雷轟電掣，風雨大作。齋壇冥器旗鼓傘蓋，永安如故，無所差錯。人皆以爲異，報與大使，大使奇之。即整衣帽就壇拜謝，忽聞空中有聲大唱曰：「神劍靈靈，殄滅邪精；龜蛇仗節，斷那奸萌。逆吾者死，順吾者生；奉天行罰，昭令施行。」大使急仰面視之。見一人身長二丈，腰大十圍，睜眼長鬚，披髮露足；左手提神劍，右手把青蛇；左足踏黃龜，右足立雲架；乘雲而起于空中，凜凜威風，眞可畏也。大使大驚，即率僚佐俯伏地下，哀鳴不已。其人即落雲而降，立于壇前，謂大使曰：「我武當元君大帝也。昨朝帝所，偶見南浮使者跪奏前殿。謂交閣妖孽妄自縱橫，凌肆愈滋，人無依倚。有牧守劉者，處悃刻誠，辭意懇切，殊深可憫。且天庭高遠，一日萬幾，以致邪魅肆行，濫作威福；是欺天網之恢，別獲不明之譴。上帝雷霆震怒，故使我降除之，以彰君有愛民奉天之謹也。」言終，乘雲飄去，自此怪異頓息，百姓再覩昇平矣。

衆人多感其德，即依壇基上建祠奉之。其後英靈愈赫，福物護民，至今猶爲福神，其影響如故云。重興元年，進尊玄天大帝；四年，加『正氣』二字；興隆二十一年，更加『眞武』二字，以有陰佐之功也。（祠在安豐縣春雷社，嘉林縣古靈社亦有奉之。）

扶董神王傳

神王即董天王也。昔雄王時，有征伐定國功，受封于此。及趙氏爲漢人所併，土宇疆界竝隸內屬，分爲郡縣。其後世換風移，民俗不古。牧守更代，往返不一。再經兵火燒殘，祠宇蕭條，寸瓦片櫟，散亡略盡，荆蓁草莽，惟存故址在焉。自漢至唐經八、九百年，村耆社資，鮮能修葺。於丁黎之世，俗尚浮屠。適有僧人喚名張麻尼者，其人慈誠有素，樂景尋幽，然寡於見聞。性本好古，觀得前芳遺跡，乃叩追耆舊，得其眞踪。遂興功構樹名藍，廣開闢地，以爲奉佛燒香之所。命名曰建初寺。寺之前門右側，再立一土神堂，以爲誦念經册之處。此後前徒牢落，歲月侵尋，桑門失岐。世俗好鬼，迷昏易溺，原本難明。遂認土神堂濫作淫祠，凡有所求，便作咒禱密祈之地。李天順間，有一僧曰多寶禪師者。其人溫恭有節，頗有名譽博聞。適見風致殊常，輒有慇懃之意，遂復更加重修寺院廊廡，一新整飭。志欲留身住持，暫作養安閒地，嫌其右對淫祠，有所不便，意欲去之。久而不決。蓋爲世俗所移，而亦不知其舊故也。

一日，乘涼閒坐，偶然興起，索筆長吟，題於菴羅古樹偈詞八句云：「佛法誰能授？光明住祇園。差非吾住子，早時別處遷。不載金剛部，密跡阿羅筵。滿空塵衆雜，佛寺藏魔寃。」題畢還內。是後竟爲他纏綿，已經五、六個月，未曾著腳。一日太早，復經故處，忽見舊題八句，宛然墨翠如新，而於題後又有八句尾續云：「佛法慈悲大，光明福德天；億萬均玄化，三千盡掃旋。吾師行正道，邪魅孰當先；願隨師受戒，長幼樂祇園。」禪師看畢大驚，暗自忖曰：「我園寥寞，別無人跡。偈意高妙，筆法精工；如舞鸞鳳之形，飛龍蛇之勢，非尋常所能彷彿。莫非神仙酬應，安能若是手法乎？」忽聞樹裡有聲應曰：「我居此久矣，未曾與尊師一會。今幸得見，是亦有緣，契濶平昔之願足矣！勿苦回避。」禪師暗自稱奇。又疑其積歲構精，輒能興怪作幻，要欲回奔返內。又聞言曰：「法師勿疑，請暫停腳；庶瀉衷曲之懷，莫謂幽明分岐，迷而不悟者也。」禪師駐趾問曰：「要欲何說？姑請詳之。」又聞語曰：「我本鄉土神也。昔雄王時，有翼戴功，得以錫土，于茲有年矣！曩爲衆俗所欺，玄黃指示，久累不潔之辱。而禪師亦以此爲疑，見形諸偈，君其思之，無以幽明爲間也。」忽聞黃風卷起，直衝天去，其說即止。禪師覺畢，心甚恭敬，乃復起壇場，以爲受戒之禮，致祭焉。是後常與禪師打話，雖聞其聲，而不見其形。護物庇民，愈日孔熾；以故香火不絕，爲一方之福神云。

初太祖潛龍時，素知多寶禪師與萬行禪師相爲壇越。既受禪後，帝御駕親幸其寺。欽差報到，禪師即率門下徒弟，伏迎乘輿於寺門左側。先是帝聞是說，信疑未準，至是備問，禪師不敢隱，備實具對。帝曰：「卿姑爲朕叩之何如？」禪師奉命，抗聲問曰：「佛子能從容否？何不稱賀新天子耶？」忽見寺庭前甘奈古樹皮上突出，現成四句云：「帝德乾坤大，威靈振八墟；知音蒙惠澤，優渥拜衝天。」太祖切以爲奇，起而誦之，頗知其意。因命禮司宰牲致奠，封爲衝天神王。其樹皮突起之題，隱隱沒散。上益異之，即命工司塑立神像，並建侍從八軀，旋立左右。及祭儀器皿，箇箇環具，獻之于神，以爲朔望晨昏之奉。再見前樹皮上，變出偈詞有四句云：「一鉢功德水，隨緣化世間；光光時照燭，沒影日登山。」禪師以偈奏聞，帝不曉其意。及惠宗即位，而李家之鹿，竟失于陳氏矣。蓋惠宗名日山，是沒影日登山之謂也。噫！鬼神之爲德，其大矣乎！重興元年，勑封勇烈大王，四年，加『顯應』二字；興隆二十一年，更加『威信』二字，以有陰扶之功也。

婆茹土神傳

土神，本婆茹王鄉之偉蹟也。唐開元乙丑中，廣州刺史盧英，爲人謙恭仁厚，與民無間，甚得百姓心，人多戴之，稱爲賢守。先是交州有賨贓之亂，經十餘年，牧守州郡，往往不能控制。唐帝乃命元楚恪等爲將，將兵討之。賊黨散亡，州境復定。唐帝遂命盧英遙領交南都護府事。

英峯州人，自幼遊學長安。因預中明經博學科，累遷江左，後補廣州撫禦。至是因宦回探省鄉親；欲訪蘇瀝、李琴二人古跡。一日，將適城北，忽見一處，其地方廣，坦然平正；樹木扶疎，蓁夭可愛；禽鳥呢喃，其聲呷呷；江濤風鼓，景色抛抛；一派羅水，蕩漾千尋；極目江山，莫匪勝概，蕭然有感于懷。乃與僚屬玩遊其間，日將暮而返。次日，悉召群下並就廳前會議。衆皆不知所以，比至則已見品饌停當，海物山肴，靡所不備。衆皆驚曰：「不審使君便有佳席，嬌香美貨，滋味具陳；意者祀獻先尊，不則醮禘祖德。某等偶然奉辭，禮卞未遇，恕罪是幸。」英笑曰：「我有一言，欲與卿等一決，是以敢設酒筵，共宴同樂故也。」衆皆拱手領諾。英曰：「一人受皇恩，全家享天祿；一大如天，德無不備。今我等奉職，遠鎮南闥。龍顏雖遐，如同咫尺。故欲起一會堂，以爲朝拜之地，使百姓知所瞻仰，以彰明帝德耳。君等以爲如何？勿得回護阿意。」於是衆皆興起曰：「此亦盛事，使君之意與職等不約而同，請從指使。」英大喜，是日宴飲，至夜席散。次日督押丁夫，大興土木，建工築作，不日而成。其左廊右署，前堂後廳，極其壯麗，爲一時名勝。

英大喜曰：「此必有神助也。何其急耶！」因與佐屬相賀，有「水臺照影自觀光」之句。遂設玄宗皇帝神像位號，迎入堂中朝奉，大開太平慶會，凡七日夕。八方兆庶，扶老携弱，往來看視，不計其數。盧英以爲希奇之席，乃命名其堂曰：開元觀。蓋以玄宗年號而名之也。自立碑記，以旌李唐天子之功；次立土地神像，配于後堂，以彰護國保民之德。

一日午睡，夢見一人面貌端莊，衣冠甚偉。英怪問之。其人曰：「我是度土合地氣脈之神也。蒙君見愛，須承惠意。每欲來謝，却爲公務所阻，玆因退朝早返，故得與君相見，未爲晚也。」英欲再詢姓名，其人忽然不見，因而驚醒。自此屢加香火，靈赫愈著，村人率多奉之。尋亦改其村名與觀號焉。其後歲月綿延，空觀毀壞，民俗尙鬼，殘廟猶存。村民祈禱，曾獲顯應威靈，故香火不絕。俗謂開元神，亦謂遮茹觀。

迨陳聖宗紹隆初，有托門人名文韶者，見其本觀基址，草莽蔓延，樹木鬱茂如林；老蘚青苔滿目，甚嘆。乃傭借村人斬伐殆盡，復新創祠宇，重整鳩工。畫棟雕樑，愈倍加於前日矣。再改爲安養寺。時寺僧法號禪桑迓者，眞誠素本，馳名于世。以故四方士女，往來雲集，以爲名藍古跡之域。先是帝聞蒙古人欲寇犯境土，乃命將士修治大羅城，以伊寺爲神彙壇處，命遷于東步頭焉。即今婆茹園村是也。重興元年，勅封開元顯威大王；四年，加『隆著』二字；興隆二十一年，更加『忠武』二字，以有陰扶默佐之功也。

白馬神廟傳

京都河口坊有廟曰白馬者，記云：「東漢光武時，伏波將軍姓馬諱援也。」予濫叨天爵，每得履檢京邦，且莫知之，亦誠以爲然。及謁廟，閱碑碣，內祀載漢伏波神，以爲福國庇民，而未詳神記祀於何代？事實之由來？及興創于何朝？其碑時正和歲在丁卯菊月書耳。祠宇歲久，𥗝壁摧朽。北商詹仲聯等，集衆捐貲，鳩工重修，廟貌渙然日新。予竊疑伏波馬姓何以白馬稱焉？必有以也。

及甲午秋，予偶暇檢敝篋蠹簡，接得靈集，內載南國祀紀福神，而東都東市神廣利王者，昔曾顯靈于唐高駢時，及李太宗朝間。厥後凡比年迎春，推牛祈福，必會祭于彼。詢訪故老，則云：「神當建城時，有護國奠民之力，現白馬之祥，赫濯英靈，莫可尙矣！然馬懾于象，故今衆獸經過其祠輒死。是以封爲白馬大王故耳。」而北客南商訛以爲實，括土建牆，崇加褒賞。却認白馬二字，以爲乃是東漢平交之馬伏波將軍也。今以爲白馬王封美號，校閱字義，文理異同。稽諸封號，如利字改賴字，音同字異，是避黎朝國諱之意也。現有本神傳書可擬，內書廣利王，而外目錄書廣賴王，則其義可知也。順字改正字，避陳順宗諱，敷字與孚字同。應字改感字者，此魚魯訛傳之謬也。以此論之，故知確然是廣利王，即龍肚王氣之神，非伏波將軍明矣。若云神像則何以辨別，而知其爲伏波乎？蓋神人在昔，前朝屢揚赫濯，爲南越福德之神。以故皇恩隆賜，以雕木象。北旅是買販之徒，曷克廣聞遠識，訛傳妄認以爲眞伏波之廟。至制衣帶冠冕帷帳岫傘八供奉事，其實乃龍肚王氣之神像也。茲採嶺南摭怪故錄，王氣君靈應傳，然白馬字意，尙未見載；是以一併之而檢擬，白馬王美字封號，庶備完閱。予恐歲久，訛以傳訛，猶杜大夫之爲杜大夫，王侍中之爲王侍中也。是以表而出之，俟將來考正，使後來曉然知所踪跡。

罔知是神本紀，却以爲伏波神也。故筆而書之，其事跡已詳，嶺南摭怪錄焉。奉天府大令尹黎竹峯誌云：「李太宗時，有默錫功，封爲廣利神王；重興元年，加封『聖佑』二字。（其廟在奉天府壽昌縣河口坊密泰北上北下三甲。）

謹按：外載有曰：東漢光武建武庚子十六年，交趾女人徵側徵貳反禦州治，攻陷城邑，漢之牧守望風奔潰。於是九眞日南合浦諸郡皆降之，略定嶺南六十五城，自立爲王。與漢抗衡，分屯要害。常使將士擾邊邑，長沙善化等縣苦之。南邊戍卒，往往告急。漢帝乃命荆梁吳楚及長沙合浦併我交州，具舟車，修橋道，通溪障，儲糧穀。拜馬援爲伏波將軍，以兄子扶樂侯劉隆爲副將，將兵南侵。

劉隆，劉演之子也。最閑武備，帝甚愛之。至是謂曰：「交南雖小，地方數千餘里，卿勿以其險遠而負責成之托也。皆吾赤子，卿須用道德化其風俗，使知朝廷聲教，一視同仁，無鄙也。」迨交州平，（事跡詳在嶺南摭怪）援與劉隆相議，以爲聖諭在邇，豈敢有違。於是勸課農桑，蠲免租賦，省徭役，褒節孝，專務以德化民，百姓悅服。援在任六年，表乞骸骨，帝乃以劉隆代之。援還後，百姓追思功德，立廟奉之。其後世代沿革，兵火相尋，廟宇殘毀，惟存故址。迨唐懿宗時，交州有南詔之役，帝命高駢將兵討平之。（事跡詳在嶺南摭怪）駢恃唐兵勢，擅作威福，百姓往往苦之。後再巡遊境內，凡有天子氣者，皆用術符壓鎭，以斷其地脈。爲龍肚神所挫辱。時人德神之靈，報應如響，皆欽仰慕。即於伏波故址構祠祀之。後來北商不知其故，認爲伏波舊址，蓋有取也。今特表詳標本，以俟後世人之宏博也。

峯州土令長傳

神本山川顯氣，俗謂土令長也。在昔漢晉之時，頗有靈應；護物福民，地方百姓多賴其澤。衆因設一草祠，以爲禳祈之地；永爲恒式，歷世不變。迨唐永徽間，峯州都督李常明者，其人溫恭雅量，恤人愛物，頗有政令。本州名勝，莫不曾經品䝉，因此備洞民間細務；凡一草一木，靡所不徧，以故得盡下情，曲獲其妙，時人皆稱爲賢令焉。

一日，適至白鶴江口，忽見草館三間，制極卑陋。常明即於簷下憇住。及覓細認中間品彙，方知是古靈祠，驟然如有感于懷，仰天嘆曰：「本職奉命臨民，欲使各安其業；群黎兆庶得賴洪恩，是本願也。今見如此民風土俗，荒涼孤宇，却有數間香火欽仰，曷克以充朔旦望晨之靈赫哉？」於是有意重修。再觀其地勢，百層碧帶，千里蒼山，水似支弦，山如回抱，龍蟠虎踞，屹立彎環，誠爲麗秀之襟裙也。遂大建土木，重整鳩工。畫壁錦牆，翠光奪目，爲一時靈觀之大名也。又立三法像，極其奇偉；再別起左右廊廡，前堂後署。命工整飭塑繪神像，隨地施設，模擬妙巧，件件停當。然亦未辨飄靈英氣可否？因焚香祝曰：「我州宰也。因見草祠蕪陋，新創告成，此間神祇，苟若有靈，願早顯賜眞身，如聖像塑樣者。」遂齋戒沐浴，潔靜而臥。

是夜三鼓時侯，忽見二個異人直到堂前，分左右而坐。一人坐在左邊，蓬頭露齒，面似冬瓜；大鼻髫髯，形神秀雅；首飭方錦間斷青紅巾，身穿碧綠錦鱗袍；脚踏雲鰲烏黑履；左手執藤刀，右手排竹盾。一人坐在右邊，橫額赤眼，面似圓餅，毛根骨節，屹立參差；虎目掀脣，形容古怪；首負紫紅金間錦方巾，身穿青白綺紋袍；脚踏抛山紫具履，左手持木戟，右手把皮牌。與常明作揖曰：「久聞使君大名，如雷貫耳。每欲趨庭謁見，庶寫鄭重之懷，今因上朝初回，故爾特來陪坐。」常明見兩人面貌豐雅，言語節次備合禮式；心甚敬重，然暗擬是何人？終無可議。乃曰：「本職奉皇勅，南檄告符，于茲有年，未得與兩尊相接，今幸獲相陪席，是亦有緣，想亦不負平日慕賢之志。但從來履歷有所未得週詳，請明言教示，庶可預知光景。」二人笑曰：「職等在此不遠。昨蒙使君屢加優遇，爲此特來參謀，庶酬知己萬分之一也。」常明訝曰：「某雖歷任宦堂，未曾得會一面，何謂優遇？請詳明之。」二人曰：「後日自知，須莫開說。」常明曰：「既蒙惠下，豈無一快，此人情者乎？」二人曰：「我等一名雲士令，一名石卿，皆本處人氏也。自幼諳習武藝，未嘗有一面試。今得與使君預席，請就庭前比較，某優某劣，優者居前，劣者居後，以定勝負如何？庶不負平生之學也。」常明歡喜，連聲應諾。於是二人就在庭前，各提牌盾，夾面而鬬，勢如梨花撥雪，雄虎爭威，乍驟乍遲，似龍蛇動蕩。石卿乘勇，用力一跳，復前一步，撐住界口。不覺士令早已守扣，又上加一步矣。常明大聲喝采。俄而驚醒，却是靈堂一夢。起來依稀憶記，遂如夢中所覩。鑿傳神之次第云。沿里因之成風，凡有憂疑騙吝貪萌之事，就祠密懇，禍福立見，其報如響。歷朝征討，有經過地方者，宰牲禮謁，必獲奇功。至今猶爲福神。重興元年，勅封忠翊大王；二年，加『武輔』二字；興隆二十一年，更加『威顯』二字。

後陳朝翰林院侍讀王威陪駕西征城禎國，途經祠下，題詩云：「貔貅十萬展威靈，勢壓雲中雪外城；江左區區何處是，風聲鶴唳振秦兵。」又翰林侍讀阮士徵陪駕征哀牢還，題詩云：「龜魚符印掛腰間，前事希求付將官；薄力書生無望處，只求祠下乞平安。」

清海地神傳

神本守護國覽地之英氣也。初我越內屬于漢，迨至于唐，歲年寖久，凡八、九百年。時適唐宣帝大中丁丑間。先是都護李琢爲政貪暴，疆市蠻中牛馬一頭，只與鹽一斗。又殺蠻酋杜存誠，於是群臣怨怒，乃導南詔入寇，攻陷郡邑，唐守宰不能控制。凡八、九年之間，士卒疲於戰鬬，死傷亡散莫可稽說。更以年荒歲饑，傜役繁興，士庶黎民，不勝其苦。

及宣宗即世，懿宗嗣業，南詔猖獗愈肆，百姓畏威服之。南詔拓東節使數破府城，唐將朱涯王式李鄠蔡襲等爲所攻圍，衆遂大潰，告急于唐。唐帝乃以武義軍康承訓兼嶺南道，復發荊南江西鄂岳襄等州及山東兵，凡十餘萬。又以宋戎爲經略，張茵爲勾當，各引兵來援。聞南詔兵威盛，銳氣百倍，皆畏縮震慄，屯於嶺南，逗遛不敢進。南詔因之進拔州城，占據我地，遠近州郡皆降服之。唐帝聞之怒，夏侯孜進驍衞將軍高駢代之。唐帝乃以高駢爲都護總管經略招討使，而命茵持所將兵悉以授之。駢治兵海門，欲從白藤江進發；監軍李維周惡駢之驕，意欲去之，以爲蠻人之彊，遣人趣駢使進。駢乃與門士商議曰：「白藤海道南詔，必守塗山要路而阻之矣！從破而進，進必有失。不若擬其後，乘虛襲之，可獲全勝。」乃造浮囊船千艘，跨海潛入清海郡，駢復分軍爲三道，一從大鴉，一從小鴉，駢自以壯士五千先濟，使人與維周約發兵應援。既行，進次朱鳶。南詔將楊思晉見駢兵少，欺之，遂與叚酋遷合衆圍之。駢堅壁不出，使人告急于維周。維周擁餘衆不發，駢見救兵不到，知其不諧。仰天嘆曰：「陽剛不勝，須求陰騭以濟之。吾平昔之學盡展于今日矣！」諸將莫知其意，佯應曰：「諾。」

駢於是掃地焚香，披髮跣足，身穿道袍，步斗踏罡，行破帷幕道之法。再設地祇之醮，奠酒行應一劍指於空中，書九龍符決而後復位。是後三更時候，忽見狂風大作，陰雲布合，雷電轟烈。朗月復明，見一人乘雲而起于空中，髮赤面黃，紫髯白眉；眼如水晶，耳如輪扇，身長數丈，腰大重圍；穿草禮服短衫，威風赳赳。駢曰：「此神降也。」乃率門下俯伏地面。其人指謂駢曰：「我水覽後宮土地官將守護國之神也。因見汝有誠欵，故某特來一見，庶酬崇敬之心也。」復朗聲高誦詩四句云：「若要成官事，須崇道德因；邪徒能反正，逆黨本忠賓。」誦訖，化作冷風從東南飄去。駢告衆曰：「即此南地之精，炎海之長，英靈若是，豈不畏也？然神既已附符，我軍無足患也。」遂於屯壘中，建道德車，名曰護國宮；次建大地車，名曰官將臺；再造守鎭車，名曰水覽；後殿載之以行。自此軍聲大振，所向無前，果獲全勝之功焉。

及賊平，駢感其德，即於清海郡覽郎江口立祠奉之，號曰守護廟云。其事多類，土時人鄙野爲鬼，神事不載，至今猶爲福神。重興元年，勅封善護國公；四年，加『靈應』二字；興隆二十一年，再加王號，更加頒『彰武』二字，以有陰扶默錫之功也。

布拜龍君傳

神乃東海水宮英龍之精也。昔南北分爭時，洪州路捍嬌鄉有一人，姓鄧，兄名決明，小字善射；弟名普明，小字力射。其父鄧公，爲楊正公牙將，常從征伐，頗有軍功，官授衞國將軍，食邑於嬌。後正公爲姜賊所害，鄧公亦罹其毒。

時決明兄弟二人，與母薛夫人同居鄉里。聞鄧公身故，薛氏哀感，因而成病；五、六月不能起床。臨命時，告決明曰：「天下亂離，群雄蜂起，干戈蕩蕩，變起蕭牆。爾父弗福，竟遭其手。雖然如此，亦是死得其所矣！我婦人也，義當從一而終，所以勉彊偸生，徒以汝曹爲念也。今汝等俱已長成，無復可慮，吾含笑入地，與汝父相見於九泉下矣！」言訖，長嘆數聲而死。決明兄弟哀感殊甚，送葬禮畢，臥苫服衰將近三冬。家計一空，安能回視坐守？於是二人密相商議曰：「吾聞父母之恩重如天地，豈可立待天日，寸草無儲；致使守孤抱餓以傷髮膚，安得爲孝乎？」乃從其叔入海捕魚，日邁月征，頗有便利，以此經營已數載矣。因而納媳竪廬，漸有起造。後致充實，遂成富厚。然性耽山水，縱逸江湖，常乘輕舟，浮海浪放，輒獲大利，因此以魚爲業。

時適春季，夜月如同白日，暫泊白鴈州濱，置酒作樂，以慶春韶景色。忽見洋中蓬渤，乍沒乍浮，自遠及近；色白微黃，長三尺許；宏潤參半，隨潮水逆流而上。二人喜曰：「此奇貨也。非金即玉，意者皇天降福，水國呈祥者耶？」乃接入舟中，見其氣重如石，色白有光。細認其詳，旋匝周圍，各帶錦鱗密匇。二人按撫推磨，終不辨爲何物？觀看已久，兩目對視，竟莫之何。乃曰：「吾等一生江湖，未嘗見此異物，福我耶？禍我耶？」要欲棄之，猶豫未決。復曰：「天下多有格物致知之人，姑置舟頭板底，明日再議可也。」

是夜將至四鼓，二人思量未睡，俄聞有聲如人語狀。二人各以爲怪，急將投放中流，移舟他津泊處宿。昨因酒力太倍，又商量已久，竟致神昏體倦，不覺睡熟。夢見一女人，年當二九，眉如新月，眼似秋波，揚華脣而點瓊粧，移金步而飄香翠。婉娩十分，嬌媚芬芳，如帶愁容，孀孀婷婷，不知從何而至。二人慌忙趨避。其人曰：「苟坐無妨，各請靜聽。我有一語，敢煩保重，無得輕忽。」二人曰：「拙等江湖漁子，晨風暮月，放浪波濤，於時爲無用之夫，在世作煙霞之客，功業何所有，而爲貴人之所倚恃哉？」其人默然良久曰：「我東海泉龍妃也。昨誤私於鰐龍公家，輒生此子，今恐事發獲罪，棄于洋中。然以其母子之情，曷能廢捨？故竊知汝等兄弟，平生本以孝敬，盡終盡始，必不背人信約。因此不憚羞愧，敢以相寄托也。願相扶持，幸勿觸犯。此子長成，必能福汝，無他憂慮。鄭重之囑，愼把孤懷；勿以幽明相阻，而負此重寄也。」言訖，入海而逝。二人醒覺，莫可奈何，復啓衡窗視之，則這木在舟邊矣。乃復收置船中，載之以歸。擡回室裡，擇地安位。那木忽然跳躍，如有相從之狀；木皮轉白，高厚寸許，二人益以爲怪。乃擇地造祠，命工雕木刻作神像，而奉事之，號曰龍君廟焉。是後頗有靈應，所求必獲，人皆欽慕，香火不絕。

迨至黎景瑞間，帝命吳子安等將水手隊千餘人，入海求珠，數月無所獲，具表奏聞。帝益厭之，乃命禮司備禮默禱，凡諸海口有名之神，一切徧祈默禱。雖有所獲，然不多得。是時鄧家兄弟已沒，惟存兒孫在焉。有鄧兒者，現爲侍候密邸，因白其事於近侍曹直。直乃奏帝如鄧家祠，帝即遣使詣祠祈告，果然大有所得，百倍於前日矣。帝嘉其靈顯，封爲神珠龍王，賜以太常音樂之禮，至今成俗。重興元年，加封利濟龍王；四年，加『靈通』二字；興隆二十一年，更加『惠信』二字，以有陰佐之功也。（一本作奇翼神君，不知孰是？）

藤州靈臺傳

神本藤州古廟之精也。昔黎臥朝登極時，帝荒淫無度，常命駕外幸，凡奇山秀水，名藍勝跡之處；靡不曾經品玩。初，帝少時，受封于開天郡，號開天王，食邑于藤，因啓藤園以備遊覽。一日，進次漢江，忽見天氣陰霾，風雨相至，波濤滾亂，雷電暴發，帝急命車駕廻避。將到界口，見古廟一座，磚牆石砌，亦有可觀；古樹參差，廊廡突屼。帝笑謂左右曰：「那里草木稠密，姑可避雨。」於是大駕將趨，倏忽而到。地方守宰及本處豪目，聞王師至，各備時宜，宴享軍士于祠園。帝因問土豪曰：「此何神也？」對曰：「即藤州之土神也。」帝曰：「有靈聖乎？」對曰：「此一州之主也。」帝訝曰：「何謂也？」對曰：「凡旱熯之秋，洪潦之際；禾穀百種，輒被其害。則地方長次乞告于神，無不靈應。是故祈晴禱雨、禳蝗截災，一切之事，神皆主除之。百姓多賴其德，因此崇敬有加，而香火不絕。」上欣然大笑，向祠中語曰：「君果有靈，須可輒去一陣風雷，使得北岸雨漏，南岸晴清；暉濕平分，無得違越，孤方準信。」言未絕，忽見一箇白虹從江中起，淡淡渾渾，直侵雲頂。果然江之北岸大雨滂沱，江之南岸輝光覩日。帝益異之，嘆曰：「人言不虛傳矣！」有「一半江南空雨濕，中分虹上已昇平」之句。因命內近重加鳩工，壯麗日輝，赫奕愈倍于昔者矣。時人有歌曰：「南甸威儀眞聖感，藤江偉跡顯神靈；却教雨澍無差異，那個滂沱那個清後。」上聞歌語，陰有自負之意。

及大行帝崩，中宗紹位，帝乃謀大事，仍與門下心腹人英長眞曰：「大寶神器，是至尊至貴之大位也。苟不得神聖之資，英聰之智，安能克定社稷，制禍亂於未形，定安危於席上哉？今中宗柔弱少恩，政行不決，惰而無斷，淫縱萌生。苟不先圖，噬臍何及？我每念及祖父艱難之業，安忍坐視而看其存亡哉？吾之意決矣！子姑爲疇之。」長眞曰：「主公之見，雖然如此，第恐天下耳目難以掩蔽。萬一外間洩漏，必有不測之變，且干係，須三思而後可也。」上忽猛省曰：「藤州靈廟，顯赫愈加，必欲行之，求一應夢休咎如何，庶可以定奪了。」於是齋戒沐浴，當於黃昏時分，微服暗出。從部宴津（卽菩提）浮舟而下，便得風順水急，舟帆如飛。比至則樵鼓殘更，及上舟時，點響已三報矣。上卽陳禱眞情，臥於左側，俄而熟睡。夜見一人，部從甚盛，與上作禮。上視其人身長八尺，面貌秀雅，言語響喨。負紗帽，穿碧衣，情辭謙備。上方要訊問，其人早已描筆在掌，題詩八句于白壁上，有云：「要勝兮克勝，要成兮克成；群方都順命，國家享太平。三年民樂業，九廟自安寧；彼此須觀理，天門望鵬程。」題畢，投筆于地，鏗然有聲，如風雨驟至，霹靂威烈之狀。上震怖而醒，乃是亭中一夢。起來依稀，尚未曉其意，兩相商榷，以爲吉兆。暗自歡喜，乃決意篡逆，既承天位。卽改藤州爲太平府，進加神號爲開天城隍大王，廣其廟貌，增給祿秩，以旌表其靈云。重興元年，加封翊運大王；四年，加『忠輔』二字，興隆二十一年更加『祐翊』二字，立爲碑銘。時藤州路員外郎黎高采有詩云：「乾坤肇創大功成，壯視神州輔翼名；地孕心胸懷正直，天鍾耳目運聰明。卓哉武翊千神壯，燦矣文篇百鬼驚；威凜雷霆公恤意，飄揚騰氣播羣英。」

銅鼓山主傳

神本銅鼓山氣皎然之精也。昔李太宗爲太子時，占城失臣禮之節，侵擾邊郡，寇災不止。邊書告急，太祖遂下詔廷議，以太宗爲平南大都督，進封開皇王；領率四十八將軍，一百八十六營士卒，水步凡十餘萬，馬百四，舟三千艘，大軍將出從黃梅驛進發。是夜，將至南湘，即於州城泊宿，官軍所過，牧守地方各備時宜來獻。帝各嘉其誠款，付還禮物。

是夜三更時候，帝臥睡帳中，夢見一人，形容甚偉，身披戎服，手握寶劍。白上曰：「戊申即銅鼓山君也。今聞聖駕南征，願從征伐立功。」帝壯其語，許之。會帝寤覺，暗記其事，命寫牌位，安置金車中，奉之而行。後果獲全勝，帝深嘉其靈驗。凱還日，帝欲卜地立祠，然未有所獲。蟠纏月餘，木材整備，久而不決，工司具以啓知，帝亦莫如之何。時宮妾有姓衞者，賢而有德，帝常寵幸。見帝有疑狀，因附奏曰：「乾道陽明，天地素禎祥之會；坤元陰德，鬼神彰默運之機。是陰陽合一德之已形，而感兆應五中之有在，此自然之至理也。妾聞神既能默伸前度，屢見明徵，豈不能顯迹，後誠按科而定者乎？莫若默叩於神，依請，即與此可決嫌疑於一定，捨憂慮於猶豫哉！」帝以其言爲有理，稱賞者久之，賜錦衣一襲，帛五百疋。上復命禮房備下香燈，默叩於神。是夜夢見一人，寬衣博帶，青眉秀目，風雅宛然，自碧霄門而入。上叩問來由，其人對曰：「臣銅鼓神也。昨蒙聖上眷顧，賜以安居，未有所得。臣請留居城內右伴之南，聖壽寺之後，蓋臣前因宿也。不胥之惠，安敢頓辭，欽侍之誠得以遂念。」上從之。俄而驚覺，仍依所請。復命工部刈草誅茅，大起宮闕，遷其神位，就而奉之。

迨太祖晏駕，群臣受遺詔，迎太宗即位。是夜又夢見神持詩視之，其詞曰：「矯矯揚威武，桓桓吐氣雄；金臺心翹望，虎步志凌踪。荏苒潛衝舉，怡愉蕩放蓬；睥睨仍同會，骨肉切須防。」帝誦數四，未曉所謂。復問曰：「既蒙相教，請以明示，切勿有阻。」神復以詞示之曰：「目前且不遠，羽翼反招讐；習習金戈弄，洋洋鑼鼓浮。滿城汚穢跡，三號擢兵符；苟得股肱力，掃庭草木秋。」帝悚然曰：「若如此將何以禦之？」神人曰：「雖有爲變，不足憂也。姑可防禦，以臨不測。」言訖不見。上愕然而覺，即將文房四寶，暗記其語，然終未曉其旨。乃曰：「神人之告，豈欺我哉？」遂早自提備。未幾，翊聖武德東征三王同謀反，將其兵馬，截住諸路，京師大震，果如其言，上益異之。及平，詔封爲天下盟主，加以大王之秩，賜以太常歌樂，重褒獎焉。

初，曲楊吳丁之世，紀綱頓壞，莫知統攝，故亂臣賊子因之成風，屢相簒逆，未盡忠孝之道。至是上乃崇加尊重，推戴神主，主監其事。自是人人危懼，皆畏其先知也。凡有邪媚之徒，多自退悔，不敢有萌厭薄懷異之心矣。凡遞年春首，仍行會盟之禮於廟前。築壇盛儀衞，懸劍按戟，在神位前讀誓書曰：「臣子之道，係乎綱常。爲子不孝，爲臣不忠，神明暗察，殄滅其門。」群臣自東軒而入，過神位前跪下，面向壇上，歃血而誓，自此爲始焉。重興元年，勅封靈應大王；四年，加『明感』二字；興隆二十一年，更加『保佑』二字，以有陰佐護持之功也。

安朗元君傳

元君本桂海英偉之天精也。昔李聖宗朝，占城不供臣職，常窺邊地。帝每含容，不忍加罪，後憑陵愈肆，剽掠沿海居民，人多罹害。守牧不能控扼，邊書報到，上乃御駕親征。提督大兵，由奇羅海口進發（即今開環海口是也）忽然風雨驟起，洪波如山，御船官艘推依海岸不能行。

時帝御五龍艦，駐蹕津次行宮，大宴群臣，議以進攻之計。至暮席散，帝倚龍榻而睡，夢見一女人，青春可愛，桃腮花面，雲鬢紅唇，眼如秋月，身似柳腰；穿白衣而着紅裙，拋淡粧而移蓮步；婷婷嫋嫋，從津邊來，直進御堂，與帝相見。帝初疑是后家親眷，未及訊問，其人早已白曰：「妾乃戊甲天精，桂郊地傑，奉上帝勅假名于木久矣。正欲待時而起，今即當逢其會。倘若不棄，錫以榮祿，妾願欽侍從征，以定厥功；天下幸甚，而國家有賴矣。」帝益怪之，要欲再問，則茫然已不知所之。上寤，驚曰：「鬼耶？神耶？曷克若是？其精細耶？」已而藐然暗記鬼神之告，豈爲虛語？復再推議，實可畏也。　即宣左右及地方耆老者，應入內侍，語以夢事。衆皆面面相推，未敢對者。惟僧統惠林在側，奏曰：「臣愚不知要審，陛下所謂，亦是誠然之說，不足疑也。」帝曰：「子即明閱其領，姑可爲朕言之。」惠林曰：「彼之所言，假名于木，必有古木，却爲蟲蠹攘成，而其體樣肖似人形之象。若言假字，姑往求之，則可得也。」帝以其言有理，乃使從者搜尋岸上。頃時間，果得一古樹木，倣長二尺有餘，圓濶倣五寸許，蟲穿蠹敗，久經風雨，其色堅剛如石。驗其頭上，肖似人形體樣，果如夢中粧服。雖略有差異，然依稀暗想，聊有相似。帝益以爲奇，爲之立像，駕以金輦，號曰：地皇夫人。命敬置御舟船中。開船進發，海爲無波。

帝每嘉其靈驗，有「輔國應奇夢，搖蕩海無波」之句。是後，大軍所向，無不摧殄。大致克捷，占人遠遁，使之謝罪，乞輸歲貢。帝許之，而班師焉。及凱還日，比至舊處，勅令地方官，竪起祠宇。未及施行，忽然風雨大起如初。帝即問群臣。惠林對曰：「此神不欲在此建祠，乞回京師卜地可也。」帝曰：「果若威靈，苟使風雨立息，朕方準信。」言未已，風雨帖然，日光復朗。

帝稱贊者久之。及到京師，即於安朗鄉後卜地起祠，以奉事之。此後英爽有加，多彰奇蹟。士庶或有謗犯，立見災殃，其影響率如此云。

迨英宗時，歲遭旱熯；帝命群臣築圓丘壇於京邑之陽，祈禱天地，又迎百神附于其次，而以夫人位預爲壇主。是夜，帝御寢殿，以百姓禾穀不登，晴旱無雨之故，憂形於色，尚未能睡。乃就燈下觀書，不覺而寐。俄見冷風驟至，燈滅復明，見一婦人立於燈影之下。帝怪問之。對曰：「妾地皇夫人，昨陛下爲民求雨，而許妾爲壇主。妾多蒙其惠，無以爲答，且妾班部中有勾芒神者，善能行雨，請許入壇，是所望也。」俄而驚醒，詔封后土夫人，而以勾芒神位配享其次；果得大雨，帝益嘉之。後定以社稷配天，后土配地，至今猶成俗云。重興元年，勅封后土地祇元君，四年，加『元中』二字；興隆二十一年，更加『應天化育』四字，以有陰佐之功也。

永林蒲時傳

神本永林山精之偉氣。昔曲先主時，天下蜂動方靜，百姓稍有復業，田疇盡闢，禾穀豐登，有太平景象之風焉。

先是懷陵州（今懷安縣是）有一名山，名曰：永林山。（今在有永社是。）聯絡次第，蟠聳翠天，古柏老松，陰森鬱茂，多產狐狸惡獸，夐寂千里，並無人煙。時有一姓嚴者，祖邑本居山下，前爲兵火，避地遠投。至是聞朝廷善政，乃糾率鄉人復回故里。但見荆蔓荒草，樹木蕭條，兔跡狐巢，禽獸之跡，乃誅茅立店，營構規圖，修整工夫，數載始定。於是鄉人他從遠適，稍稍回復。日征月邁，人物繁興，遂成都會巨邑，似此之際，經已數十年矣。

時適韶光仲旦，鄉人齊集亭上，盃盤盛饌，以享春祈。老長丁男，次第列坐。忽見一人，鶴髮童顏，鬚眉蒼白，年可七、八十歲。身穿紫綠布衣，頭負瓟盧道帽；掌把竹斑笻，腳踏烏木屐，立於筵前，與衆人相見。自稱蒲姓，在此不遠。偶因散步尋幽，累愛景色，以至纏旋戀跡。衆人一見，盡皆驚異，延請上坐，設饌以待。敬其年尊德卲，高享天爵，人皆不敢與同席坐。其人亦不爲禮。飲食泉湧，酒至五斗不醉；肉食數斤不飽，羹飯之數不在此例。其飲食之類，蓋本如此。衆人無敢誰何。後再加獻餚湯，輒復與前相倍。其人却不打話，只自吃飪，終日莫見醉飽。鄉中村長有姓范者，平生性好嘲謔，最長於婉辭飭說。看見老人似此模樣，因乘酒濃性起，本在下卓位次，即跳身躍上，與老人同坐，請以陪席。老人笑而許之。范姓曰：「請問尊長素的方人氏？某等愚魯未嘗得與高顏一接。今鄉中直逢佳會，喜得與高賢辱遇，是爲幸中之再幸也。」老人曰：「貧道在此，不外一線之地；戀意操持，于今已六十餘年矣。曩者掬山而食，吸泉而飲；飧風嗡露，枕雲邊之逸樂無餘。狐跡猿窩，度朗日之煙霞雅趣；吟梁父而陶情於岩穴，腳未經遊；寓性情而縱肆於林泉；心無別議；是故清幽隨適，感荷無涯；蔬菜權時，弗知肉味；已千紀矣。」范姓曰：「諺云：『一十無知，二十當時，三十益壯，四十姸媸，五十漸退，六十氣衰，七十知命，八十應期；九十如枯木，一百似楊垂。』人生天地間，直以此爲例也。今尊翁年庚耆耄，愚想亦在知命應期之數，曷能飲食竝進，少艾靡所及者？不覺有何妙術而至若是者耶？」老翁大笑不止。衆人逼問其意，老人答曰：「貧道在永林山中修行玄要之法，含氣導引以取長生，運火灶上丹田，將玉液塡金海，渾身奧妙，輕如鴻毛。雖數十年，絕其粒穀，亦無所妨，神色凜凜素似疇昔，縱或一日之間，牛牢數四頭，亦無所飽。英精牽赫赫天地同滓，烏可以其長短肆語乎？」衆無奈何。老人復語曰：「貧道所有心腹之事，欲請諸公相助。今幸鄉紳大會，一應用心許受，是貧道之得托也。」衆人具請所以。老人曰：「敢煩列位，每人各賜粟穀，備一大擔，今月十五日早時齊挑就在永林山腰大菴蘿樹小庵下，是貧道修行之處，以成福菓，切莫有誤。」言訖，拂衣而去。其行如風，倏忽不見，衆皆異之。各相議曰：「永林山本是我鄉疆界也，從來未見有庵，此人住持在此，如彼斯語，無乃不爲怪乎？」有曰：「我昨遊獵山梢，未曾有睹片寮半厦，安足準信？」有曰：「彼之所云『福果』二字，意者必有興功起造而然也。」有曰：「此言皆非也，興功起造，何不說及錢米特云粟穀，此豈福果之所造就哉？」衆皆論議紛紛不一，終無所料。最後有老成人姓嚴者曰：「彼之所求，我等竝已許諾，切不可背，須依期挑就與之。一則知他之所居，一則定他之所作，豈不爲兩便乎？胡乃口嘴相爭，妄談彼此者哉？」

至日，衆皆齊整粟穀，並已備具，凡四百餘擔，一擁而進。果見永林南腰大古樹下，有一草庵；其制小狹，一連二厦。庵中竝藏薪柴堆積。又見老人手捧檳榔千枚，芙蒥萬葉，南茶一器，竝列在小卓竹匝上，及盃盤供饌五、六十卓，酒湯熟食，各已齊整，羅列其次，箇箇停當。時鄉人次第陸續而至，老人即命將粟穀於庵下，四旁旋繞，各盛充貯。須臾之間，粟穀堆立如山，衆人不知何意，暗自窺視，莫敢發言。只見老人與衆語曰：「今日之會，是貧老成果之秋也。列位既已不棄，各自辱臨，請俱就坐，飮餁之餘，任其醉飽，無用推托，是厚賜也。」衆皆從命，隨次而坐。酒半酣，忽見老人架一小梯，緣登庵頂上立。俄而庵中火發，煙氣大集，浮到半空。老人立于煙頂，飄飄而上。只見叉手與衆人作別，漸漸滾滾，頃刻間，則不見矣。衆人大驚，皆俯伏下地羅拜不已。未幾，聲聞畿邑。曲先主益奇之，命建廟宇，重褒獎焉。以其自語姓蒲，故號曰蒲公廟。其後英靈顯應，福物祐人，至今猶爲福神。其廟在懷安縣有永社永林山南岸。重興元年，勅封翊國大王；四年，加『偉略』二字；興隆二十一年，更加『明斷』二字，以有陰佐之功也。義安境內頗有奉之。

諒山奇窮傳

神本南海水精靈蛇之偉氣也。昔陳明宗時，有鄭太守任在洪州，其妻楊氏歸寧，舟次神祠之側。神一見，心有所悅，因此爲鄭郎所發被貶于此。（事跡詳在傳奇漫錄）

這化江之南，舊名黑都鄉，鄉中有一韋姓，州中之大族也。一日午睡，夢見一人，面貌猙獰，髮鬚似戟，身長九尺，相體堂堂，穿碧緞錦鱗袍，負純金紅皀幘，從者數百輩，俱是戰甲鱗衣之士。直到家中，語韋姓曰：「我東海蛟都督也。今奉令就鎮在此，與君有故，特來相托。如能修建我一藁臺，以爲暫𦢳停身之所，我必福爾，無他患也。」韋姓持疑未決，其人又曰：「黑都之北，鰲海之東，一帶長江數千餘里，皆我主之。我以高官貴爵，新到地方，使用之供，未足給致，故托于爾，爾其從乎？」韋懼而許諾。醒起未知所謂，以爲夢寐無憑，安可準信？因此逡循數日，無意於事。數日後，又夢見一吏者，從輩數人，告韋曰：「奉旨吾君，特來召子，子須應候，不可稽遲。倘或怠延，無任我責。」韋慌忙即整衣而起，比至，則見前日長官，早已坐於大榕樹下之側，左右侍衞，各持矛戟，分立兩班。韋恐懼，不敢仰視，即於地下連拜不止。其人曰：「子胡背我前言？初犯猶曉，再違即罰。」遂叱從者放釋許回。韋振慄，寤然而覺，汗流沾背，移時方醒。暗自思想，乃即就夢中所見之處觀之，未及五十步裡，早已望見榕樹之下有一碧錦鱗蛇，黃冠赤頰，長數丈餘，巨倣五寸，踏旋根底，左側四圍匝繞。又有修蛇短蟒，次第而臥。忽見巨蛇舉頭高捧，如有相視之狀。韋大懼，祝曰：「昨愚有夢，未定如何？若已果然，乞早降江下去，臣方準信，再不敢背前言也。」已而，那蛇果從江邊而去，群蛇亦隨之而逝矣。韋嘖嘖稱奇，復就伊處看時，於巨蛇臥處下，忽得藏珠一顆，其大如斗，重可一斤。韋畏不敢取，將沙蓋以覆之而回。

於是率使家丁入林栽木。是夜，復夢見謂曰：「曩者所托，爾心有所狐疑。恐汝未信，故將明珠一顆，特以托爾。爾姑將回發客，其價獲錢萬緡，任爾使工以成吾事。昨見爾不敢取，是以告之勿須惶恐。」言終不見。韋寤覺，急趨看時，現見其珠，尚依原跡。韋乃將回，夜置房中，光朗照室。於是借玉工打破，結作簪釧子，值錢億萬貫。遂大興土木，加起鳩工，前棟後梁，極其壯麗。

會安博州土儂謀反，拒高樓地面，禦守險要，官軍攻之不克。經略王科等奉詔討之，進次安陵，大軍安營分屯，以防不測。夜夢見一人，提督甲衣將校，直前告曰：「我奇窮也。久王於此，向來未有建立功績，今請征儂寇，以立微功。」王科壯而許之。因曰：「子那裡人氏？姑可詳開明白，待後收穫，必來表彰回奏，榮褒天爵，廣竪奇勳，庶可以慰今日勤勞之望。」其人笑曰：「我本南海支派，東渡世豪，今特奉命承叨統領鬣山一路，預管四十八將，九十六營；騎步水師十萬三千，均是黑甲坎方之士。昨新到任，未敢擅便施行。今亦同僚，安可不與相見，陰陽雖異，功效則同，助勝凱還，煩以重申舊宿無負也。」言訖，引兵前去。王科醒起，咨嗟不已。及賊平，回奏其事，上嘉其靈跡，詔封奇窮大王，至今猶爲福神。光順元年，勅封靈武大王；六年，加『安民』二字；洪德十二年，更加『護國』二字，以有陰佐之功也。

新訂較評越甸幽靈集　卷四

粹精偉跡

會川黎公譜

公姓黎，諱俊，字彥常，嘉福會川人也。其父黎達，母王氏賢而有德。年四十餘，未有所生，心中常鬱鬱然不樂。每每於良宵皓月，獨坐寒燈，流涕如雨。妻王氏揣知其意，再三慇勤勸解，且語之曰：「妾聞之，男有三權，女憑一約，始終不輟，有克願懷。縱或未然，亦其理數中之未達也。郎君何不捨其掛慮之情，建無窮之業。胡乃徒自悲傷，以損其平生之志氣哉？」夫曰：「何謂也？請詳指示其要，吾乃選其可者，而後就成之者也。」其妻曰：「不孝有三，無後爲大。此男子之所以從權變而酬應其機端也。一則祈扣神明，默求監格；二則細擇良妾，類應數期；三則積善行仁，克臻厥後。蓋此三者，是權宜中之第一原也。且妾乃女流，有從一而終之念，烏敢愛其膚髮，却以累那先民之責者乎？」夫曰：「吾每欲如此，但恐汝不肯從，莫敢啓齒。今爾既發輝心緒，眞跡藹然可覩。雖古之姜任，亦未爲過，亦不覺黎門再見賢德婦也。」因再三稱謝，以慰其意。

時鄉中有箇郭氏，娶妻韓氏，生下一女。年當加笄，頗有賢德，色不甚美，舉動亦有可觀。不幸父母早喪，依族姑曹氏家資養。曹氏性素慈祥，見郭氏女孤苦，愈加憐恤。屢求賢厚者許嫁，人竝譏其貧寒，輒多不準。王氏知這聲息，輒與夫相議論，持疑未決。於是遣人送媒，乞續求凰之信。曹氏欣然應允。行聘禮後，郭氏歸黎家期年而娠，滿月生下男子，里閈族屬皆來作賀。及長，膂力雄壯，面貌魁梧。性好遊畋，不事產業，父母責其懈弛，痛加治之。對曰：「男兒志在四方，銘名鐵劵，豈可區區于農桑之業哉？」父奇其言，因命名曰俊，而以彥常字之。

未幾，父母相繼隕沒，公三年守制，極其哀孝。一日，危坐閒軒，忽見一箇老人，鬚眉蒼白，直至庭前。語曰：「貧道雲遊四方，無處不經品腳，未見有如子之誠。子有仙姿道骨，若肯從吾遊者，吾必授之子矣！」公暗自思曰：「人生天地間，如紅花霜草，百年身世，瞬息便一堆殘土。我既不業儒，又不學劍；問道求宗，是亦救民度世之事。捨此奚適哉？」於是慇懃延接，禮供甚豐。老人見其誠款，即於袖中放出一部法册，二十餘卷，顏有題曰「玄要法門」四箇字，與之曰：「精微之奧，秘窃之規，用力研窮，是紙上有餘師矣。」言訖，遂拂袖而去。其行如風之擁，倏忽間已不知所之矣。公意其神仙落下，匪是塵凡。遂盡力窮治，數月之間，備得其旨。於是能興雲喚風，降龍伏虎；役使鬼神，如驅奴隸。凡諸有被災厲，請求活者，輒以注水投符，疾疫立愈，似響應然。闔境遠近，全活者甚衆。以此人皆宗師奉之，自是高名無所不達。

陳大治末，已酉、庚戌間，國內遭楊日禮之變，天下震動。藝宗懼內患禍起，乃與群僚引兵出避於沱江鎮。夜半軍驚，將士亡散以千數。時公雲遊廣威，與徒弟二百餘人夜宿天幕津口。是夜夢見紅日當天，忽然落地，急將兩手扶持，撐抱，不覺頭髮鬚眉，却爲烈火所焰，因大恐怖而驚醒焉。想來依稀，不知主何吉凶？黎明早起，未及浣洗，忽見一人身長九尺，眉清目秀，隆準龍顏；身披紅錦袍，坐騎青驄馬，僕從數箇蒼頭，於山斜脊路邐迆前過。公意其非常人，畢竟當今天子，故得是兆。即於馬前俯伏，其人驚問，對曰：「目前變亂，國柱幾傾，社鼠城狐，竊偷肆虐，正當掛旆天山，洗甲銀河，奈何玉駕匪自保重，而輕忽若是乎？脫或不虞，悔之何及？」其人愕然有失驚之狀。既而下淚，引目視之，躑躅不答。

原來藝宗避難時，却爲軍驚迷路所至。及見公，說到心的底事，倏然有感于懷，動見顏色。乃謂公曰：「子既相知，今告子矣，如今事勢何以處之？上可以庇天心，下可以孚民望，計將安出？請以賜教，亦遭逢中之奇遇。」公既揣得其情，果然不妄。乃奮然對曰：「應事投機，權時處置，運用之妙，如解亂繩，施設之端，似移棋局。夫善御者，烏足以掛慮乎？今則不然。內亂未萌，外旅先動，致使龍跡遠遊，經歷艱險，是庭臣之失算也。臣雖不力，願以螳螂之臂而當車轍之衝。樹起義旗，收用豪傑，兵聲一振，縱日禮之勇，安可以逃於王刑？占城之疆，亦難逃於國網也。」帝嘉納其言，即拜爲殿前都校尉。公於是親率家童二百餘人，保護乘輿，進據天幕江口。羽檄徵發，旬日間，郡縣勤王應義者，日以益衆。進陷京師，執日禮殺之。日禮黨聞之懼，逃奔占城，與占城主謀入寇，將兵犯闕，盡掠京邑貨寶，燒燬宮殿圖籍，府庫爲之一空，浮海走還占城去了。及凱還，帝獎其功，以爲廣威留守，尚玄瑤公主。在任凡十六餘年，甚得民心，歷事三朝，無纖毫錯易。逮昌符乙丑年間，首將胡季犛畏惡其才，誣以僭逆，矯詔殺之。

初，公學道時，能有含氣畜引之法。及臨刑，復行其法，頭雖落地，忍氣不死。是日，黃昏時分，復能起坐，却將兩手捧其頭級，復旋轃於斷項之上，以腰巾纏縛，連于肩下，覆衣罩首，蔽體而歸。明旦，纔到慈廉州驛望社側，足痛不能行，即於路旁茶店老嫗處安歇，人亦未之覺也。未幾，忽見公之妻兒、婢妾、童僕將至。原來季犛固意害之，命梟其屍首，三日以示衆。公之妻兒備下棺木以待滿限收殮，次日不見，以爲逆胡盜取，不許還葬，輒加哀慟。復細認血跡點點而來，因按跡追之。比至店所，見公端坐，談笑自若，衆皆以爲不死，愈加歡喜，乃環匝左右，問安視膳。公喟然嘆曰：「吾不意於今受此苛虐，縱若皇天有知，胡郎其於予何？」因流淚如雨，乃與妻子別訣，囑以後事。妻怪，叩問其原。答曰：「今日之事，特假人之造化，於吾何有哉？」即厲聲詢於老嫗曰：「老娘自古曾見人斷頭復活生否？」老嫗笑曰：「老一生到今八十餘歲，未曾有見這事。且頭已斷，豈可復生之耶？」言猶未已，忽見公頭落地，傾身倒下，死于店前。但見咽喉中吐出一朵青氣，其大如傘，飄飄搖搖，直向空中飛去。是年公四十二歲，妻兒乃扶柩還葬故鄉。是後公英靈赫奕，季犛懼，乃爲之設解寃埸，大醮七日，追封神武大王。光順元年，勅封『英斷』二字；光順六年，加『感應』二字；洪德十六年，更加『宏猷』二字，至今猶爲西國福神，以有陰贊之功也。

（祠在福祿縣上叶、下叶等社，驛望故處亦有奉事之。）

長津二將軍譜

二將軍，一姓黎，名石，字福山；一姓何，名英，字光華，演州羅山人也。陳紹豐間，於仁宗朝奉侍潛邸日久，頗有微勞，俱拜正副侍都郎將。

先是元人襲宋，元使兀良來諭，追問桐柱舊界。帝遣翰林校討黎敬夫會勘，兀良自恃天使，眇視安南人物，逼使實引月餘，拘留不許歸國。

時二將軍亦在調遣，引刀斧衞卒二千餘人，皆在界上。敬夫謂二將軍曰：「元人欺我太甚，將何理以折之？」黎將軍曰：「我武人也。惟知斬伐之事，其他無所識也。」何將軍曰：「人臣奉君上之命以文語，先生制之以武語，我們制之，切不可使辱君命汚國體也。且今身臨塞上，啻如箭之在弦，所執所放，俱傳響之發也。」敬夫會其意，乃言：「昔漢馬援南來，但見史載有築桐柱之說；第歲年寢久，踪跡湮沒，無可關究為對。」元使無可奈何。又見黎、何二人張眉怒目，有忿忿之意。知其不屈，乃不敢彊。因以善言撫慰，各罷而歸。會占城降元，既服而又叛，元主怒，命唆都烏馬兒張虎等，率師十餘萬進討之。

兀良因陳，乘虛襲我，用假虢伐虞之計。元主從其言，復遣使備說假道征占之意。廷臣會議，紛紜不一。數日無定，而元軍已壓在境上矣。邊信報到，帝聞之大驚。良久，顧謂左右曰：「元人勢大，為之奈何？」文武戰慄，莫敢對者。忽見班部中有一人厲聲而出，曰：「朝廷養兵千日，用在一朝。今元人憑陵愈肆，有呑噬之意；而在廷之臣，固自依阿守位，豈以一國之大，江山之險，抑無其人乎？且元人貪殘無厭，前則欺弱金而取鼎；後則凌衰宋以誅茅。今又邀求於我，假托之計已形，兼并之謀已露。若不早圖計策，以挫其鋒銳，是弱之也。某雖不才，願投一旅之師，去守鎮南之險，立斬元將首級，獻於階下，上以報國家寵遇之隆；下以雪群僚自已之情。」帝引目視之，乃正侍都郎將，姓黎名石字福山也。又有一人應聲而出曰：「臣願與黎郎同去破賊，以報皇恩。」帝復舉目視之，乃副侍都郎將，姓何名英字光華也。帝大喜之曰：「既得兩卿相助，朕何憂哉？」即拜黎石為威靈上將軍，提督四十軍，營進屯於隘店口，以備之；拜何英為東覽大將軍，董率四十軍，營進屯於高樓口，以塞要路。

二人領命，望北進發，兵勢蕩蕩橫橫，殺奔窖山而來。將至安博州，與元兵相遇。兩邊擺開，結成陣勢。黎石在前，橫刀縱馬；何英在後，挺八鋼矛。黎石奮勇當先，與元軍夾戰。元將趙祚不能抵擋，撥馬便走；黎石乘勝從後掩殺。何英又從左邊殺來，趙祚措手不及，却爲何英所斬。裨將賈寧亦爲亂兵所殺。斬首三千級，獲其偏副五十餘人。遣使獻俘于闕下，又破元人於順州，再破元人於枚皐，兵聲大振。元將唆都每爲所敗，深以爲恨。乃從海道別路進寇嘉林東岸武寧等州，遂犯京師。帝退保應豐，命陳國俊總督天下都元帥，董督王侯，補水步諸軍，以拒之。檄聲報到，黎、何二人商議曰：「我等在此多時，敵人不敢阻擋。今聞京師破陷，我等若不回師應敵，是縱敵也。姑可抽兵以圖進取。」於是二人率衆而返。將至鳳眼界首，聞連聲砲響，四面伏兵皆起，矢石滾下，士卒死傷太半。於是二人分左右翼，各持短兵接戰，自平明至日中，勇力百倍，終不得脫。黎石笑謂何英曰：「吾聞壯士臨陣，不死則傷，今我兩人是死日也。願盡心力以報主恩，大丈夫立身於天地間，死得其所。吾何懼哉？」又自日中戰到黃昏，二人力盡，皆爲元人所執。

原來元將鎭南王聞二公威勇，恐其回師救援，故使張恒埋伏在此。二公旣爲元人所執，唆都愛其才貌，欲招降之。二人罵不絕口，唆都怒，皆命斬之，棄屍于月德江口。其屍隨流而下，直到長津洲畔，旋轉不去，已經二、三日。是夜，村民聞江濱外有悲歌聲。平旦視之，見得二人模樣，首級與身體蓬渤於水面，各以爲神。即於津邊埋葬，立廟祀之。及元寇平，帝獎其勳烈，死於國事，詔封黎石爲正直大王，何英爲剛斷大王。其後頗有靈應，護物福人。重興四年，加黎石『妙感』二字；加何英『雄毅』二字。興隆二十一年，更加黎石『顯應安民』四字；何英『肇基開始』四字。至今猶爲福神，以有陰搦之功也。（祠在嘉福縣安津社）

驍田陳駙馬譜

公姓柳名誠字公敬，柳公權之後，嘉林驍騎人也。尙順宗妹玉明公主，是陳朝駙馬，預都尉之職。

初，父柳何在仁宗時有平元功，官拜散騎常侍都廷侯之秩。母陶氏，賢德素著，四十九歲始誕公。八月而母喪，父哀憐愈切，繼母謝氏不賢，往往輒以酷虐，每加箠楚。冬月常使捕魚，雖寒凍之晨，風雨之宵，亦不敢缺。父雖知其饑苦，第心畏怕，恐生鬧啐，亦不敢言。然公本性至孝，無所怨，敬謹之懷愈切。後母初猶妒忌，後稍稍憐愛，視同已出。年十八，狀貌魁梧，豐姿秀麗，翩翩有神仙之容。以父蔭補麟臺內侍肅直。迨藝宗紹慶間，父以老故壽終於家，公以丁憂在家守孝，三年哀感，頭蓬面垢，日夕思量，曲盡其誠，聞于鄉里。郡守以事上聞，帝大加稱賞。滿服後，詔宣入侍，加頒侍候都校尉，昌符中，以狀貌尚公主。

是時，胡季犛專權，妄行威福，大小臣僚，皆畏服之。天子徒擁虛器，政令出於群小。而公以親勳大臣，兵謀國計，竝不干預，心甚忿怒。一日早朝遇季犛於涼雲閣，公議之曰：「聖上春秋鼎盛，百司率職來庭，誠為河清海晏之會。相國胡乃秉掌大權，妄作威福，使百姓別有覘議，起生疑異之心，豈人臣之所事，若是乎哉？我柳郎一生正直，不欺人短，不飭己長，安忍恬然坐視，而為人之所欺乎？相國固自三思，切勿追悔。」季犛聞言懼謝曰：「駙馬之教，當銘于懷，不敢忘矣。第方今四海鼎沸，占城猖獗于南陲；八方風塵，馬錫憑陵于西土。我若暫移兵柄，恐有不測之萌。公且從容，改日再議。」公不知季犛心懷詭譎，因此許諾而歸。

季犛回後，深恨公之不附已，每欲設計害之。乃與門下謀曰：「今君上酒色昏庸，不弘國務，陳家命脈將近於終。況有權柄在手，天下屬望，我若釋其兵權，則禍不旋踵矣。且柳郎一身英勇，有國士才；此人倘不早除，恐後噬臍難及。」又曰：「主上雖昏，更得柳郎相助，事或有濟，必生他虞。莫若鴆弑順宗，別立幼主，然後別圖，則天下之事可坐而策。縱柳郎有衝天之翼，絕世之智，亦不能施。」其巧計定。未幾，帝果中其毒。

公知其勢不能回，乃素服哭于太廟者七日。召妻子屬以後事，復嘆曰：「事不先圖，竟致後患。吾不意今日却墜逆賊之計，死不瞑目矣！」遂嘔血數斗，猶聞語曰：「可恨！可恨！生不能雪，死必報之。」兩頷相交，牙齒盡落而死。是年四十二歲。遠近聞而悲之，季犛以爲賢，贈以殊禮，許其子柳明扶喪歸嘉林，封建忠侯，表旌門戶。後頗有靈應，村人皆仰其德，尊爲福神，四時致祭。洪順元年，勅封顯應澤民寬和大王；六年，加『佐聖顯謨保國』六字；洪德十二年，更加『助勝雄略剛正』六字，至今猶爲伊社福神，以有陽扶陰助之功也。嘉福華廬亦有祀焉。

馮淵龍神譜

神即馮淵，偉氣水族之蛇精也。昔明永樂間，慈廉州馮光邑有一老人姓左名孟淑，娶妻陸氏，年七十無子。時遭兵火，家資支用不足，乃廬於通衢官路旁大榕樹之側，整頓茶飯，賣買度日。廬之後面，連接馮淵，淵之波心迴迴數十餘頃；內產白荷、紅蓮、綠菱、碧芰與閒花雜草，扶疎可愛。遞年春秋時節，千嬌百卉，爭放亂開，波心燦爛，便是一天紅錦。每微風來，芳芬萬斛，行人往過，莫不嘆賞名勝。

又公性好酒，不能多飯。常於清宵皎月，携酒獨酌，暫憶少年之遊，時或喟然長嘆。其妻怒曰：「夫子年幾七十，尚且不自珍惜，顧乃滔滔若是乎？古人云：『人生七十，臨近窆前。』豈可再憶曩時？』不料身後之辱，却爲呆者所鄙。」公笑曰：「這等情敍，卿是婦人，猶且記之，何況我乎？第人生天地間，如殘露點草稿矣。日月倏忽，如梭之環。我想年少之時，與卿行樂，同庚親契，抑亦不少，何者彼等昌隆，桂蘭滿面，財豐物阜，稱意頤神；而我與卿，駢頭到老，不惟乏嗣，又且虧財；孤苦無聊，非關待日，似此情懷，獨不傷於心乎？不覺彼等前根何等福厚，而我與卿又何等業障而然乎？留戀孤懷，且猶寧耐；屹然循緒，痛斷肝腸。縱彼鐵石之堅，苟可以流汗矣。故樂餘暇逍遣，以瀉愁情。蓋欲借此風光，以著歡解悶耳！子倘不言，我豈不知之乎？」語訖，淚下如雨。於是夫妻抱頭大哭，更闌始罷。自此公雖他適，娘子亦不敢啓齒。

一日太早，公於淵畔採摘魚蝦，忽於草叢間得一圓卵，其大如斗。皮殼上有錦文，五色光芒奪目，香氣襲人。公注視良久，甚以爲怪。既而忖曰：「我自幼到今，未曾見有此奇卵，龍耶？蛇耶？福耶？禍耶？」躕踟半晌，乃曰：「吾要將回後看何物。」遂袖歸房所，藏於米壜器中。閱六、七日，卵殼既開，宛然見一錦蛇，紅冠黃嘴，碧眼白腮，密匀細鱗，皮膚溫軟。公初畏其螫毒，不敢誰何。後見慈祥，遂無慄怕。却以手扠磨頭面，見其溫柔似錦，清涼潤澤。其蛇亦合口低頭，任從撫顧，公乃將飯肉食之，漸漸無所忌憚。似此之際，已經三、四年餘。那蛇愈日愈長，大數圍許，長二丈餘，常於鋪行桌下偃臥。往來人旅見而畏之，皆不敢入店坐，但遠立旁觀而已。那蛇久與父母相處，稍知訓誨，指使一皆依命，人皆以此奇之。凡鄉邑中所有宴飲忌臘，諸人有帖請者，公悉應期就會，蛇亦隨之往，日與之以爲常。鄉人初喜其物類，洞識機變，後頗以蟲毒，反以爲畏。

或謂公曰：「此等無類，不須親近，宜早棄之，莫可牧養。且蛇虺天性難測，脫有不虞，悔之何及？古人云：『蜂莫藏於袖裡，虎莫蓄於箱中。』蓋以其鋒鏑爲害，最是關係，烏可不慎之哉？今公以殘年衰老，承國家而享清平，作息律時，雅樂康衢之曲；嬉遊遂志，團圓華旦之娛，安用此爲哉？」公曰：「吾亦知之，第保養日深有所憐愛，恐不能捨耳！」鄉人曰：「公若以此耽懷，無關禍福，竊後有會，不敢相請。」公辭謝而回。意欲去之，然懊惱顧惜，終無可奈。如此者又數個月也。

是後鄉紳之宴，祈神之會，祀先之旦，慶賞之時，人皆不敢啓請。而往來行客亦不敢閒憇於鋪店矣。公不得已嘆曰：「昔日佳會，主客森庭，今日蕭條，換作寂寥之景，誠可哀也。」因指蛇語曰：「但爲汝一身，失却我許多新故，將若之何？使我鬱鬱于懷，增此一段慘怛也。」蛇忽然舉頭向上，作人言答曰：「我乃貉龍君之第四十六男也。昨因躭玩，爲上所責貶，我在此期滿六年始得回侍。如今屈點已滿期矣，縱君不言，我豈不知之乎？昨因見公孤棲，寂寞無聊，故特來與君作侶。蓋憐其老邁無能，莫可以克享洪祿，是以錫君餘惠，後來永永得霑血食耳。有何禍福之可關哉？」言訖，瞋目張冠，開口一噴，忽然口中湧出一道烏雲，滾滾蕩蕩，騰布冥令。俄而風雨大作，雷霆震動，那蛇化作黃龍，騰空飛去。老公夫婦挽攀兩蟄，飄飄而上，同時升天。人皆以爲得道超化。後頗有靈應，村人奉以爲神，立廟祀之。

迨黎仁宗太和間，時遭旱熯，禾穀焦枯，十失八、九，廷臣具以其事奏聞。帝乃遣禮部司備儀致禱。是夜果得甘霖，百姓大獲所望。帝嘉其靈應，詔封爲光潴龍君，并配左氏夫妻廟於淵側。洪順元年，勅封普濟大王；六年，更加『葉贊』二字；洪德十二年，更加『贊化』二字，以有默錫陰扶之功也。

驩濱昭徵譜

公姓阮，諱復，下洪四岐人也。洪德年間，舉進士，官拜翰林待制，預列騷壇祭酒之職。

初，公微時，家資窮苦，日用不足，常假貸于人；夜或欠油，每炳黑株香以自炤。雖冬寒之嚴，夏炎之酷，日夕攻書，無少憩息。州舉解元，都舉省元，其博學才華為當時令譽，名聞京國。先是本鄉左側有一大榕古樹，巨大十圍，高長千尺；森鬱枝葉，叢茂如林；鳥跡禽聲，喧鬧如市。每有女鬼，依樹作妖，往來行客，常為所惑。又於黃昏時分，顯現眞形，以拐戲少年男子。倘有提犯，輒獲災異。雖禳禱愈加，而憑陵愈肆。邑中豪目，延師除餞，終不能克。

公平生儒舉，秉性剛直，且不尚鬼。及聞此聲息，忿然曰：「人生命運，須有盛否，豈鬼能為害哉？有是理乎？無是理乎？」一日黃昏，微服潛出，忽見一女子身穿素練，掌把壺箕，直前而行，逍遙虛步，間地上一尺許。公停立良久，訝曰：「人之說䏚不虛傳，信有之矣。」偶然性發，即放步向前，尾從那女鬼之後。濶開兩手，橫加猿臂於女鬼背後，伸抱在胃腕間緊來。那女回顧謂公曰：「這等官人，何乃作那非常之事？乞早開手。」公曰：「我本寒儒，安有官人之號。須詳明其旨，吾方依請。」女曰：「茲且未達，後必大貴。」公見說後必大貴之語，愈加緊抱，索問其故。女既為公緊抱，進退不得；且公力大猛，難堪忍耐，屢乞求饒，公終不聽。如此者將一個時辰，女窘甚，哀鳴不已。公曰：「宜須盡白，不然縱到白兔西落，金烏東生，吾亦不汝捨也。胡而也哉？」女度不得脫，乃曰：「官人徒威刼欺人，陷人于法，洩漏天機，則恐獲大罪，故妾不敢暴露。官人宜三思，莫留後累。」公曰：「倘或不明，必獲當今之厄，何累之有？」再不準允。如此者又將一個時辰。

時樵鼓四敲將殘，更轉點五刻矣，惟有兩人冒立於雪中，蚌鷸牢抱，竟不開放，女不得已泣曰：「晨鷄將鳴，辰星報卯，若不明判，必被官人之累。苟詳機緒，竊遭天譴之刑，後日有知，勉相恤及。」公曰：「汝第言之，無不汝聽。」女曰：「三年後，官人必獲高選，貴不可言。」公曰：

「倘依爾言，必獲重賞。」女曰：「安敢受賞，但願官人克思今夕之言，切勿有負。」公曰：「何謂也？」女曰：「妾有瑛龍神珠藏在舌底，故知人間休咎。官人要欲得之乎？」公依然應允。女即於口中吐出一朵神珠，五色滾亂，光彩照地。女曰：「官人吞之，如欲取出，則合眼凝神含氣，從鼻一吹，自然湧出。願以此贈相知，不敢自愛也。」公見說，倍加憐感，開雙股作揖曰：「多謝芳卿，刻銘肺腑。」女泣然下淚如雨，公叩其所由。女曰：「官人有所不知，今夕之事，妾難逃天譴矣！而官人亦難免其國課矣！」公曰：「禳禱如何？」女曰：「天網恢恢，疎而不漏。天作孽猶可違，自作孽不可禱也。」公方退悔，第業已如此，終亦無奈。女人乃告辭作別，忽不見。公始返回，途中嘆曰：「鬼神之爲德，其盛矣乎！」

後數日，忽然風雨大作，常震於榕樹。數百聲，其樹頹殄而斃。方憶女鬼之語，愈加哀感。乃備禮作文以奠之。後三年，公果高擢，如合符契。公方驗其言，倍加恐懼。居官克謹，靡敢差錯。上見公勤於奉職，尤所稱賞，賜備顧問，得預左右。

是時占城彊盛，屢犯西南邊地。邊書告急，上乃頒下廷議。臣僚以爲：「占城自丁李以來，兵衆脆弱，所以納貢稱藩，不敢越界。迨陳世衰，未弘遠略，是故蓬莪羅皚數擾邊氓，雖屢爲官軍所破，而舊態倔彊，時作時止，垂百餘載，未曾畏服。今天下清平，四方無事，陛下循時而動，整弔民伐罪之師，定誅虐除殘之舉。上承天意，下順民心，建瓴而下，如摧枯破朽矣！」上可其奏，於是乃起田兵，凡十餘萬，以黎括爲大將，曾公度爲副督，率四十八將軍，頒布四十二條，刻期大舉，御駕親征。而以公督運糧草，使董領舟師五百餘隻，從神符海門進發；陸路軍由大灘江入，所過秋毫無犯。占人遠遁，進拔闍盤，乘勢逐北。占城王及將士皆爲王師所敗，邊地清平，俘其衆五萬餘口。

先是公奉命督運，臨行時，上勞之曰：「食足兵彊。糧餉者乃軍務之大事，今以千萬人付卿，限一個月齊集思容海口，切莫遲緩，有干刑誅。」至是纔經二月，糧艘始到，蓋由水路艱險，又值風波故也。上大怒曰：「軍行糧從兵，豈細務緩一個月，幾陷我軍。將令頓違，竟將安用？」喝令武士，推出斬之。時帝法令嚴明，群僚知其無辜，然莫敢有諫者。須臾首級獻於階下，帝命詢示諸營人，人無不振懼。

公臨刑時，仰天訴曰：「臣奉公報國，克盡忠誠。昨奉督糧，偶爲風波所阻，致違將令，國憲實甘，伏乞皇天后土山川神祇，炤白丹心，明其無咎。抑生前雖少有微玷，乞死後得著其清名，免使沉淪，泯泯含哭（笑）入地也。」既而復哭曰：「『人生自古誰無死？但把丹心炤汗青』女鬼所謂，信不誣矣！」乃寫表謝恩，辭別左右，與諸僚友及遺囑門人，敍其情事，遂延頸受刑。

公卒年四十餘歲，家屬要欲收殮，回水路去；第地方荒殘，無材木可用，又恐海道洶濤，怕其不測。於是匿置轎中，從陸而反。自符離界至羅山界，經七、八百里之地，歷二十日，所過之處，血流點滴不止。逮至羅山，公之妻子聞知信息，先已備下在此應候矣。及殮時，見其顏色如生，無腥臭之氣。妻子愈加哀慟。忽見咽喉中竅出一氣如呻吟之狀，湧血數斗，羅列滿地，遂納入棺材，扶喪歸故鄉土。民皆以爲神，凡所經之地，但有血流點著者，各建祠廟奉事之。

及回鑾日，上見其風景稍異，備問地方土官，具以實對。上嗟嘆者久之，詔封爲昭徵大王，預在上等之秩，而官其子五人焉。其後愈加靈跡，爲南境名神。景統元年，勅封『忠信』二字；元和元年，加『惠感』二字；順平元年，更加『孚化』二字，以有默相陰扶之功也。（其祠在符離縣至羅山縣凡五十餘座。）

森城杜廟譜

公姓杜，名噲，別號科才，德光南塘之美男子也。一云奇華無礙人。兄弟八人，而公其季弟，性最廉孝剛直，凡一舉一動，輒合規格，倘或觸犯，即觸怒而斷嚇。其器重大抵如此。年十八，狀貌奇偉，身材長大，力能排牛格虎，有萬夫不當之勇。最諳於跤跌之藝，凡本州春祈秋祀享神勝會，公必首擢。黎洪順間，時適天下板蕩，兵符尺籍，徵發愈急。而公多丁彊壯之戶，社資保舉，投入兵額，守宰校閱，補充軍旅，隸在屬鎮寧右之隊。

公平生明敏，頗有妙才，未周數月，射槊排楯，無不精熟。管軍見愛，陞在伍長之列。如此之際，又周數星霜矣。時適春仲，鎮官傳報內謂：「蒲帶一嶺，多產珍禽奇獸，茲奉欽旨，大起獵期，限一個月，凡有所獲，回京上進。」於是管官整齊停當，督率本部，分路而去。比至林腰，大會軍馬，張羅布網，金鼓連天。霎時間，所獲禽獸不計其數。而公在山叢處掌把長槊，攔守要路。忽見一個白鹿，其色如錦，黃角紫蹄，丹睛金齒；前儛五丈，從岩上走。公要橫槊將欲刺時，又見一箇金狐，毛如丹色，爪青眼白，從後繼至。公遂捨鹿，將槊一擊，那狐早已跌倒。急取繩索，束縛繫定，却欲持之以反。俄聞大樹上有婉喲啼聲，仰面遙看，見一黃猿於枝頭。公將槊一刺，那猿早已躲避。槊尖中入大枝，深厚愈堅，牢而不動，竟不能拔。忽聽背後巨吼一聲，回頭時，乃白虎也。金牙銀爪，大若巨牛，勢力猙獰，後從趕至。公大驚，乃棄長槊，折取木條接來撕打。已幾將一個時辰，公勇義百倍，虎不能勝，却向林梢退走。公尾其後，一擊於髀股間，虎應椎而倒地。公復奮臂再擊，那虎忽作人言告曰：「全我性命，必有重報。」公曰：「須先詳之，不然打死。」虎曰：「我有徹天珪一小粒，藏在交齒之間；願以此爲謝，庶報萬分之一也。」言訖，將爪揳齒，其珪早已落下。公視之良久，見一朵光瑩明亮如粟子狀，以手拾看，覺有清涼滋味。公笑曰：「苟若得此，竟將焉用？我豈爲汝所欺哉？」要欲揮椎再加一擊，虎急然哀告曰：「慢慢容手，莫敢相瞞也。且此珪雖小，其貴不可言，乃當今之至寶也，勿可輕忽。」公曰：「何謂也？」虎曰：「此珪若藏牙中，則終身無病，延壽益子；又使邪奸遠避，不敢相犯。洞識禽獸語音，兼行千里之腳；再能應眼，黑夜亦能覩物。公愼保之，勿可尋常見視。其他來歷，不可遽說，後日公當自見，莫謂我爲荒唐物也。」公從其言，將那珪緊在交齒中，縱之使去。乃將金狐就官廳所。

先是本管獵回，照點軍目，忽欠公不見閱，恐爲林裡猛獸所害，遣人四顧搜求，尚未能得。正徘徊間，見公已到，又撇珍奇之獸，衆皆大喜。管官稱羨，加擢十長之列。公自是爲隊中頭目，官資機務，亦得少閒，上愛下恭，粗有名望。

是後，公日日從容，在家堂雅樂。凡州邑中所被妖氣邪精感染者，醫巫莫驗，公輒欣來省問，求免請去，全活者百餘家。時或遠適旁郡，到夜暮黑始返，路途雖遠，視如咫尺。又常不忍殺傷物畜，人或叩問其意。公答曰：「禽獸雖云微物，然其性命烏可不以爲重？且聲音啼叫，人有所難曉者。第其好生惡殺，總亦一心，人所不知，故能烹宰；我有所識，安可食其肉而資其口乎？」人皆以是賢之。

原來公自得那珪之後，心中稍得覺爽快，後久漸漸能明百獸音語。故日日樂向林中，喜與猿狐趣味也。迨光紹末帝駕臨清華，督兵征討，勤王義戰，奉命來庭者如市。第公以此得意，甘自洒落煙霞，尺籍兵符，屢徵不就。公議以逃征論。公卒年三十六歲，妻枚氏無所出，養其男侄爲嗣。其後頗有靈感，詔封爲聖仙大王，建廟于森城以奉之。元和元年，勅封義勇大王；順平元年，加

『雄武』二字；正治元年，更加『威感』二字，以有默格冥相之功也。

克陽阮侯譜

公姓阮，名國卿，字貴公，安豐針溪人也。父諱奢，娶妻武氏，乃仙遊克陽人也。父因家貧，寄居母鄉。年五十而始誕，六歲，父以病故。母子懷抱，迄及長成。年十五而母尋逝，哀思慘澹，悲號終日。姨夫陳郎見而憐之，養爲己子。陳郎者，鄉中巨族也。頗有名目，爲邑中之長。公私事務，租稅徭役，一一停當，靡不周備；以故人服其豪，而愛其雅博也。公既得入陳家，大儀所望，而陳家亦視如同己出。如此之際，已經數載矣。後陳公邁老，托以里中幹役。公英明果斷，勇於從政，公營私貸，略得其妙。但性剛直，不容人之過；憐鰥恤寡，憫人之孤。以此，人多贊譽，表列閭閻，童兒老叟，如出一口。陳公羨之，以兄之女妻之。迨陳公沒，鄉紳保舉以爲里長。

吳南晉末，天下大亂，割據土宇，自相雄長。於是慈州刺史阮守捷進拒仙遊，分屯要害，自稱巴安君大老令公，諒州以北諸州郡皆降服焉。有衆十餘萬，兵聲大振。順州刺史李圭亦起兵超類太州以北諸州郡，率皆降服，自稱李朗公。分兵緊把，各拒界口。時公爲里長，聞知此事，乃聚鄉豪商議。以爲天下擾攘，兵戈四起，民無定主；若不早建權宜，以濟時務，脫或不虞，悔之何及？莫若遣使奉命于巴安君，乞自守把這路，免使別官撓擾，以安百姓。如遇鼠竊狗偷，然後我易制也。衆皆從之，遂招諭中男壯碩，權爲兵者。得二百五十人，備下衣甲、旌旗、銃口、器械，箇箇齊備，進詣巴安君所。巴安君大喜，以爲安衞將軍招討大使。許回守本路，屯于八蓊山側，巡防界首，以備差遣。

是時，群雄各相呑噬，皆不相容。由是李阮二人持兵相攻，未分勝負。不覺時事乖違，天機難測，李朗公別使大將喚爲蕭清者，引死力兵三千，從小徑路夜襲八蓊屯圍之。時公倉卒眠起，聞得四面八方如蟻團合，鉦鑼震地，鼓角喧天；大小將校，驚惶失措，無心戀戰，各自逃生。公大怒，連聲喝來，衆皆竄去。時公手下僅存有四十餘人，壯士衆告曰：「敵人勢大，難以支守，不若乘此黑夜開路潰圍，斯爲上策。」公曰：「今我奉命在此，苟棄屯而去，恐將令如何？」衆曰：「士卒奔逃，孤屯無援，倘不先定，難以保全。縱或持疑，禍將至矣，何將令之有哉？」公見其言爲有理，遂開四門。當夜三更，奮然突出，撐開猿臂，衝出而前；左逐右馳，無有敢當其鋒銳者。自夜半戰至鷄鳴，方纔得脫手。殺李軍數百人，身中亦被數十創。走到黿阜，東方已白。時李手下壯士從者五百箇人，公知其勢難敵，即匿叢葦間。敵人乘勝從後追殺擄掠，平民哀號之聲振動村邑。是日黃昏時分，公見四野清帖，無點風塵，以爲敵兵已退，乃緣上高樹，吹起角聲，要欲收召殘卒，馳報巴安君，大起兵來與決勝負，以雪其恨。不覺敵人未去尚在，村中聞吹角聲，復相搜索，公竟爲所害。是歲十二月之下旬也。公卒年二十五。

時有逃得性命，回報巴安君，巴安君聞之大驚。急命大將朱偓督率大隊六千人馬，索前來應。又以文韓王汭鄧栃史安董領十餘員同來決戰。及大軍進至，則敵人退去多時了。因於堆叢尋得公屍首，即其地而窆瘞焉。封爲安衞將軍克陽侯，其後頗有靈應，禦物康民，人賴其德。重興元年，勅封英濟公；四年，加『明敏』二字；興隆二十一年，進褒顯大王之秩，更加『贊化』二字，以其有默扶陰弼之功也。（其祠在仙遊縣克念社中村。）

睦瀝徐生譜

公姓徐，名惠，小字登榮，廣德安朗人也。仕李朝，官預僧正都察院。初，公少時，師事敦明先生於石室勾漏山寺。

先生者，錦水粱渠人也。少亡父母，窮苦無聊，依叔父晁貞度日。晁貞念其骨血，屢加矜恤；嬸甚不賢，萌猜，每欲逐之。敦明雖少，頗知圭角。乃辭叔父入山爲樵，日日採薪，以供時序。叔性慈厚，見侄如此模樣，愈加哀思；然畏其妻，不敢明言。常私藏菜米，待靖人時就而給之。敦明辭而不受，叔怪問其故。敦明曰：「侄止一身，日用靡所損費，故不敢受。」叔知其意，洒淚而歸。一日，早入林中，路逢一老，老者謂曰：「少年有所業乎？」曰：「無有。」曰：「若以此爲事乎？」曰：「是也。」老曰：「我有遠路之遊，無有佐幫之力，今特假汝一往，汝肯從吾遊乎？」敦明仰視其人，鶴髮童顏，精神明爽，意非常人，乃連聲應諾。老人即袖裡提出青囊一把，與之使挾戴，以隨行。無數里，忽至一所，樓臺突兀，光芒奪目，內有三、五老人，環坐着棋，笑曰：「此來何遲耶？」老人曰：「爲憐此子，因到遲也。」一老人曰：「此子非有骨相，來此竟何用耶？」一老人曰：「雖非骨相，眼底有神，盡力研求，亦可資助。」敦明見其言語，暗自忖曰：「這所分說，大有關格，捨此何適哉？」遂連拜不止。於是老人授以清平道法，數月之間，盡得其略。因告曰：「子非骨相，不可久留在此。」乃將竹筑指曰：「從那條路去走一遭。」敦明領命拜謝而回，自是道法日隆，爲一時高妙。

公聞其賢，往師事之，甚得師生之禮。數月精進，道教經籍，略得其要，先生愛其敏捷，欲知其意，一日問曰：「道學要妙，如天之高，法力玄微，如海之大，子今從吾遊，要欲講何法乎？」對曰：「人生天地間，如輕塵棲弱草，浮華世界，轉瞬息間，便一惱場。但欲樂此身心，以瀉此生之勝，其他無所顧也。」先生笑曰：「汝身心只要浮華，長耽欲界，此非所以永保，有負於道教矣。後來之累，恐必不免，愼須記之，無遺爾悔。」公頑嚚不受。此後愈得精微，變幻百出，凡有所欲，如意是從；施設之機，無一有不中者。公自以爲得志，遂辭先生而返。

李仁宗廣祐間，時帝崇尚浮屠，試三教子。公欣然應考，預得首選，侯補章臺道士，自此得入宮中，欽講道法；屢蒙優厚，恩寵日著；於是王公士庶皆瞻仰敬謹焉。後納曾氏爲室，年四十而始誕。公自謂：「箕裘願足暢平生之樂。」遂前萌後起，凡公卿大夫妾媵，諸有頭目，爲一時英譽者，公却妖術弄持，未有一人能脫其漏網者。日邁月征，愈日愈昌，莫或知覺，設謀厭捕終無所獲。茫如追風捉影，人莫誰何。

時皇叔延成侯有一妾，喚名明嬌，其色甚美。公一見悅之，每用秘法挾與取樂。後事覺，爲侯所覺，侯深以爲恨。聞安快有黎先生，頗有盛名，乃使人迎請，備說其故。先生性最廉正，嚴於人倫，及聞這說，勃然大怒，乃以術法授侯，後果捉獲。黎先生責其淫邪，杖毆殺之，投屍于蘇瀝江，流至于紅鉛津次，（紅鉛津在仁睦苗社是）土人埋于津邊。（事跡詳在嶺南摭怪）先是公臨命時，喟然嘆曰：「悔不聽敦明之教，果遭此事，豈非天乎？」遂死。後有靈感，鄉人奉以爲神，立廟祀之。重興元年，勅封明化大王；四年，加『惠感』二字；興隆二十一年，更加『特達』二字，以有幽贊之功也。（其祠在清池縣仁睦舊社是）

明洞象祠譜

神本雄象之精，南天偉氣也。昔我國屬于漢唐，歷年最久，北來牧守，率多貪殘苛虐，萬民困苦，無所依投。雖有枚帝稱戈，馮王割據，然乍起乍滅，無大統紀。而那象者，乃馮王親幸也。身高二丈，軀宏百圍；經額黃牙，猿蹄鳥尾；有腳力，日行數千里，草料日食數千斤；其喊如雷，威震百獸；其鼻如鐵，力壓萬鍾。然性稟聰俊，粗識綱常，機智行藏，靡所不備。又能色涵率物，雅量持權。一舉一動，俱合規格。馮王愛其潁達，賜名開山郡公。以故唐人畏悚，一舉大定綱紀。

及王病薨，太子安嗣，那象流涕數日不食，如有悲哀之狀。及安降唐，那象破櫃而出，就於馮王之廟，跪伏堂前，洒淚三日。都護趙昌使安勸諭，終不能得。

人或語以忠孝仁義事理，則合眼愁容，淹淹然如有所感之意。人或語以格殺辱罵等情，則張目怒睛，赫赫然如有所忿之聲。雖在園林中，日採草木爲食，田禾莠稿，無所毫犯，地方百姓，咸以此德之。後數月而始去。所過之域，沿途村塢具將禾根麥本餞於路旁，號曰：洪寶大爺。人有報與都護趙昌，昌聞之，嘆曰：「象之爲物大矣！猪頭、蛇鼻、羊睛、牛背、蛭唇、犀齒、蝶耳、駝足、鱗腹、虎腰、獅毛、騍尾，兼此十二相，故能克知天人之道，有仁義廉恥之節；況又其母孕六年而始生，六十歲而方滿骨肉；肉有十二次，分配十二辰，膽不藏於五臟，而居於四肢；腎不畜於下腋，而臨於上額。頭短而不能伸縮；足無指而有蹄；牙光白而預隸于珠科；骨氣堅而得權乎石部；含蓄天地之英華，誠爲天下之大寶也。至若擔當兵務，橫鎭頹流，鎖鑰江山，縱橫疆宇，有雄才智勇之風也。以此論之，象之爲物其大矣乎！」稱贊者久之。

迨至唐末，天下大亂，黃巢餘黨，分割土宇，於是朱全忠李全勗石敬塘劉知遠郭威劉隱之徒，紛紛而起。唐主衰弱不能制。時洪州曲公，因唐之亂，亦舉兵于岐邑，盡殺北來守宰，略定交州以南之地；分守要害，與諸渠首相抗，復得那象。見其頸間尚存金轡，方知是馮王時物，算來年紀已將一百二十年矣。曲公大喜，屢加優眷，常備金鞍金鐙出巡境內，其威儀聲勢爲象衞之長。自是而後，歷事三朝，預在侍御，未曾有離左右。後隨大將王曷西征，那象咆哮不肯從；曲後主逼勉使去。未幾，後主更爲南漢所執。又屬楊正公，正公以其老倦，休閒弗用，留養外槽，給以月草。那象如有不樂之意，日日吼啼，眼淚淋漓，草料稍稍寢減。有人報與正公，正公奇而憐之，復以爲侍內公象。迨正公爲姜賊所執，那象直夜潰槽，開放南門，望愛州路而去。愛州首將吳公聞之，諭之以歸。見其氣義可稱，勳勞益著，封爲石林郡公。五、六年間，歷從征討，破姜賊於龍城，誅漢兵於海口；經營之際，屢有功績。

及吳王沒，楊郎以懿親之義遂篡其位。那象復破槽而去，楊郎遣軍追之，數月不獲。後至明州洞澤邑，伏于古榕樹下，不食而死。村民以其事聞，命官驗果，許葬闍墅之原。其後頗有靈應，村民奉以爲神，建廟奉焉。歷代帝王以爲物類未弘惠典，迨陳仁宗克平元功，褒獎百神，亦預登秩。重興元年，勅封弘濟公；六年，加褒美大王，增賜『宏略』二字；興隆二十一年，更加『義勇』二字，以有陰扶之力也。（其祠在山明縣洞貫社）

回山布露譜

公姓布名露（路上聲），北州安勇人也。初，公微時，其父早已棄世，與母同居。性素彊梁，不從訓誨，日與兒童競戰于郊原外。或登古樹，追索禽鳥巢穴，挨雛析卵，以拂塵混地嬉而遊；或泳長流，擬掠魚蛇甲鱗，斷尾鉗頭，以弄草具竹盤之戲；或坐烈日而吟哦，或冒風雨而奔走，村人皆以為痴。號曰：桃郎大叟。其叔布美聞之大怒，乘其不意，束縛以歸，縻拘閫下，日日痛打。公雖受鞭撲，然目眼驕肆，靡有苦叫哀求之念。叔怪，叩其意，公答曰：「侄本無罪，賢叔恃豪縱虐，以法繩治，使侄無所訴啼，是以不求解免。」叔見其語，愈加忿憤，再痛打一陣。將幾一箇時辰了，全然如故，叔亦莫奈之何。又命束繫軒柱間，待來日再打。公身無完體，皮膚傷跡，滾滾亂目。母初見其頑彊，頗以為恨；及見受責，動起哀矜之思。乃告叔曰：「姑曉呆性，諸症俱除，後若不遵，慎無爾悔。」叔應命解其縛而遣歸。

吳南晉末，群雄並起，聞慈州刺史阮守捷進拒仙遊，公乃拜別母叔，杖劍從之。守捷以為偏將，使將兵五百據守回山。公內撫軍士，外綏黎庶，百姓悅服。後守捷為丁先皇所滅，公乃率衆歸降。帝一見其狀貌，奇而問曰：「方今四海分崩，群雄角逐，吳氏之鹿，尚且憑陵，子有何能，敢投軍籍？」公曰：「臣聞聖人在御，政令一新。張四目以布仁，掃八荒而著義，所以兵行席上，招溪蘇來望之民，宴享筵間，啓黼黻都俞之治。臣雖庸鈍，有所聞知。願施堯仁，弘加舜雨，使百姓有所瞻仰；布昭聖武之寬，集群黎皆應昌期，永列神猷之大。」帝準奏，大加贊賞，即拜為奮武將軍，督率御林虎翼龍騰二衞。是後每隨征伐，所向克捷，敵每望見旗號，輒相退避，各相戒曰：「此蓬髮將軍也。」蓋公頭髮蓬捲撩亂，故敵以此為誌。及天下平靜，公奉命出守諒州，以鎮北虜。會帝為杜釋所弒，黎大行居攝，公嘆曰：「虎鬪龍爭，八荒新定；蜂屯蟻聚，一點清夷。奈何宴賞未酬，忽爾蕭牆禍起，吾將安所歸乎？」因此涕泣數日，遂納歸將印，乞求私第以養老母。

時主少國疑，大臣專政，母后淫邪于內，權奸竊柄于外。公知時事不可爲，故有是表請命。而黎大行以公族彊悍，恐執兵柄，慮其爲禍，遂奏少帝準允所乞。公於是辭絕賓客僚友故舊，與其妻子迤邐回鄉，奉養老母及叔父。曲盡其孝，日三省問，無虧子道。常跪侍地下，身爲點撥，待母食盡，然後始退。公視叔如父，視嬸如母，無所間斷，其欽敬不止如此。後母以壽終於家，叔嬸亦臥病而逝，公極其哀感，戚戚終天。人或語叔昨時之事，公忿然曰：「苟非此事，我安得有今日？且吾少時所行所舉，其所以受責者宜。」衆皆不敢對而退。滿服後，大行已攝大權。聞公之賢，使使宣召，欲賜優禮以厚遇之。公辭以老病不行，其妻問故，公曰：「大行與我原是同僚，位又在吾之下，今彼肆然自得，妄行篡奪，吾既不能殄討其罪，以見先帝於地下，豈可反面以事亂臣賊子之輩乎？」因下淚如雨。後棄其妻子，落髮爲僧，師事夢玄禪師於蕉陵谷。

夢玄禪師者，洪州人也。自幼出家，秉心持受，盡得秘奧之旨。後能輕身渡水，拋海騰空，爲當時名望。自唐開成中至茲，闢穀不食，專用道引之法；鶴髮童顏，體如瞿松，音如鐘響，寬胖壯健，一似少年。循計于今，已歷二百餘歲矣。禪師見公一面，欣然笑曰：「淨道逍遙，可堪安寄；若能鞠躬盡瘁，亦可補益。縱不但向西土，抑似少間南岳。公其從乎？」公曰：「人生閻闔，總似浮萍；朝泊東溟，暮漂北浦。沉浮散聚，一旦茫然；富貴貧寒，悠悠瞬息。苟若馳驅事業，算來名利不如閒。是以奮不顧身，長躭天日，蓋欲瀉此心身，以遂平生之念，烏有他岐別望哉？」禪師見其誠懇，乃授心囊秘訣，後稍得其略。遂雲遊境內，凡有名勝，靡不曾經品嘲。最愛回山風景，遂建庵以棲焉。名聞京國，遠近皆宗奉之。後沒頗有靈應，鄉人奉以爲神，立廟祀焉。重興元年，勅封彰武大王；四年，加『惠聖』二字；興隆二十一年，更加『神化』二字，以有陰錫默相之功也。（其祠在仙遊縣回抱社是也。）

越甸幽靈集錄全編

朱鳳玉 校點

越甸幽靈集錄序

古聖人曰聰明正直足以稱神非淫神邪祟濫得

而稱也我

皇越寓宇內廟食諸神古來多矣能彰偉績陰相生

靈者有幾哉然其所從來品類不等或山川精粹

或人物傑靈騰氣勢於當時挺英靈於來葉世若

不紀實朱紫難明因隨淺見卑聞筆札於幽部苟

得大方君子博雅好事者為斧正之是所望也

越甸幽靈集　序

越甸幽靈集錄跋

世傳越甸幽靈集久矣然皆舛誤難讀適古本有英字滅畫始信在皇越朝中興前跡也因為抄錄則與所者異但續編多缺聊以存古而別本無之史增後錄間已校讎訂正有可疑者圈以識之又添補遺以備參考嗚呼難聚易散自古興嗟況我國印刷者少無怪其然適尋而偶獲不其幸耶爰弁其端示諸同志庶得旁搜而補綴廣採以摘玄

[illegible]

越甸幽靈集錄總目

歷代帝王 舊作人君 附右妃

嘉應善感靈武大王 在龍編城

布蓋孚佑彰信崇義大王 大叹上林

趙越王李南帝 太安小安海口

天祖地主社稷帝君 羅城南門一作國中門側

制勝二徵夫人 在安喝社一作古來雨師堂

協正祐善貞烈眞猛夫人 黄江仙娥步頭

書影

書影

越甸幽靈集錄全編

守大藏經中品奉御李濟川編集

門下省事內令史書金晃龢按錄

嘉應善感靈武大王

按三國志王姓士名燮蒼梧廣信人其先曾國汶汚陽人值王莽亂避地于此六世至王父名賜漢桓帝時爲日南太守王少遊學京師（京師一名漢京即今龍編是也）治左氏春秋擧孝廉補尚書郎以公事免官居父喪闋後

續越甸幽靈集錄

國子監司業阮文賢銳軒增補

朔天王

按禪宛集英書黎大行皇帝時匡越太師吳氏常遊平厲郡衛靈山觀玩風水悅其景致幽勝欲創祠庵居之夜夢有神人身被金甲左執金鎗右擎寶塔從者十餘人其狀貌古陋可怖前來謂曰吾即毗沙門天王從者皆夜叉也天帝有勅令往此國土護此下

書影

重補越甸幽靈集錄

事事齋吳甲豆重補

英靈正氣

段將軍

將軍名尚長津洪市人李惠宗同乳子被命捕盜倒八洪州李亡晝州自守陳太師守度陽與之和徵道孝武王阮嫩陰以重兵襲之戰方酣陳師自文江邀其前將軍捨嫩西向為刀刃所傷頭不絕者僅一

重補越甸幽靈集錄全編跋

我越立國山奇水秀地靈人傑列於全球諸國其特達英偉固不多讓人也惟鍾其氣之正者斯出其人多奇生為名將死為名神為節義為貞烈其正氣常周流磅礡於穹壤之間或散而為道骨為僊風俱傳不朽觀於公餘捷記傳奇漫錄嶺南摭怪桑滄偶錄諸書槩可觀也今李公集錄蓋陳朝祀典所載耳餘皆未及缺畧頗多余不顧鄙陋起而

重補越甸幽靈全編

重補之正公之所謂同好事者也或曰君之所補英烈正氣固矣神通真氣如道行明空等傳多涉荒唐何曰固誕矣然世之所傳如此亦曰記其所聞云耳若夫會之以理舍其恠而存其常是在觀者作者何預謹跋數言于全編之後

歲己未七夕三清觀道人吳甲豆題

二十九

越甸幽靈集錄　序

古聖人曰：「聰明正直足以稱神。」非淫神邪祟，濫得而稱也。我皇越寓宇內，廟食諸神，古來多矣，能彰偉績，陰相生靈者有幾哉？然其所從來品類不等；或山川精粹，或人物傑靈，騰氣勢於當時，挺英靈於來世。若不紀實，朱紫難明，因隨淺見卑聞，筆札於幽部。苟得大方君子，博雅好事者，爲斧正之，是所望也。

時皇朝開祐元年己巳春上滁守大藏書文正掌中品奉御安暹路轉運使(臣)李濟川頓首焚香敬序。

越甸幽靈集錄 跋

世傳越甸幽靈集久矣。然皆舛誤難讀，適古本有英字減畫，始信在皇越朝中興前跡也。因爲抄錄則與昨者異，但續編多缺，聊以存古。而別本無之，史增後錄，間已校讎訂正。有可疑者，圈以識之，又添補遺，以備參考。

嗚呼！難聚易散，自古興嗟，況我國印刊者少，無怪其然。適尋而偶獲，不其幸耶？爰弁其端，示諸同志，庶得旁搜而補綴，廣採以摘玄，則斯文之興運，未必無小補云。

皇朝永盛八年季秋節穀旦賜庚辰科進士及第翰林院校討黎純甫頓首題于進修書軒。

越甸幽靈集錄全編

守大藏經中品奉御李濟川編集
門下省事內令史書金晃鞣按錄

歷代帝王

嘉應善感靈武大王

按三國志：王姓士名燮，蒼梧廣信人，其先魯國汶（汚）陽人。值王莽亂，避地于此，六世至王。父名賜，漢桓帝時，爲日南太守，王少遊學京師（京師一名漢京即今龍編是也）。治左氏春秋，舉孝廉，補尙書郎。以公事免官，居父喪，闋後舉茂材，除巫（一作正）陽令。獻帝時，遷我交州太守。時張津爲州刺史，漢末三雄鼎峙，（舊作三國交爭）王治羸樓及廣信二城（舊作所）後津爲賊帥區景所殺害，而荆州牧劉表遣零陵令賴恭攝我交州刺史。獻帝聞之，賜王璽書曰：「交州絕域，雅化遐霑，翼軫山河，天書分定山川，誠爲勝景。南北多礙遙迢，上恩不宣，下義壅塞，蠢爾逆帥，敢弄兵威，不惴凶強，希圖僥倖。加以逆賊劉表遣賴恭窺伺南土，肆彼自暴自棄之人，獨擅作福作威之柄。如茲罪狀，紙不勝書。今特委卿爲綏南中郎將，董督七郡兵馬，領交州太守，一切得便宜從事，務得清平逋寇盜，輯民安頓。清氛噎之塵，廣布康常之澤。內外事務一以委卿，乃職虔供，毋替朕命。」

王乃遣張旻詣漢京貢獻方物，時當兵革，天下喪亂，道途悠遠，往返艱勞。而王不廢職貢，恪守臣規，漢帝復下詔嘉獎。其詔有曰：「交州乃文獻之地，山川毓珍寶之奇，文物可觀，人才傑出。屢年有矢石之釁，嗣來無牧守之才。故爾遐區未霑雅化，特委卿以重任，克遵召杜之風，其牧民以仁恩，不負棟樑之器。令復拜卿爲安遠將軍，封龍度亭侯。」

後蒼梧太守吳巨（一作匡），與賴恭相失，舉兵逐之，恭敗走，還零陵。時吳孫權遣步騭爲我交州刺史，騭至，王率兄弟奉承節度吳王，加王爲左將軍。子三人皆拜中郎將，王遣入質於吳，又諭導益州豪姓雍闓等，率郡民遙附吳，吳益嘉之，遷衞將軍，封龍編侯第一偏將軍。

王每遣使詣吳，致雜香細葛輒以千數，明珠、玳瑁、琉璃、翡翠、犀象之珍，奇花異卉、蕉椰龍眼之屬，無歲不至。一時貢馬凡數百匹，吳王輒寵賜以答慰之，官其弟（一云弟子）三人：壹領合浦太守，（今廉州是）鮪領九眞太守，（今清化是）武領南海太守（今廣州是）。

王體氣寬厚，謙虛下士，漢之諸儒避亂者多往依之。州人皆呼曰：「王時陳國徽。（一作衷，一又作孔衷徽）」與尚書令荀彧書略曰：「交州士府君學問優博，又達於從政，處大亂之中，保全一方，二十餘年疆場無事，民不失時，羇旅之徒皆蒙其慶。（舊作受其賜）雖竇融保河西，曷以加之？」王之弟並爲列郡，雄長一州，偏在萬里，威尊無上，出入鳴鐘磬，備儀仗，笳簫鼓吹，車騎滿道。胡（一作州）人夾轂焚香，常有數十妻妾居輧輜，弟子從兵騎。當時，貴重威震萬里（一作百蠻）尉佗不能踰也。薨壽九十，在州四十八年。

按報極傳云：士王善於攝養，王薨後既葬入地，至晉末凡有六十餘年。林邑（今占城）入寇掘王陵塚，見其體不壞，面色如生，大懼，乃復塡瘞。土人傳之，以爲神立廟事之，號曰：「士王仙。」

唐咸通中，高駢破南詔至其境，遇一異人，面貌熙怡，霓裳羽服，遮道相接，駢悅之，延入幕中，與語，皆三國時事也。出門相送，忽然不見，駢怪問，土人指王塚爲對，駢嗟惜不及，吟曰：

自魏黃初後，于今五百年；
唐咸通八載，幸遇士王仙。

王廟最靈，村人每有祈禱，皆有徵驗。至今爲福神，皇朝重興元年，勅封「嘉應大王」四年，加「善感」二字，興隆二十一年加「靈武」二字，以其有陰相之功，村民多受貺焉。

僭評：

我國古有越裳，鴂舌龍身，風俗樸陋，大槩如今之州崗土民也。自趙武帝制七郡，以詩書訓國俗，任聖童守九眞，始以禮義教導國人。於是我國駸駸乎，始知文字之有益於人，禮樂之有關於風俗，有文明之漸進焉。

迨士府君以洙泗之餘波，漸流于南海，談俎豆於干戈之會，翕弦歌于蚊蜃之鄉。聞之如聾，聽者如鐘聲，教所及，翕然華風，後李陳黎迭作設學制科，蝟興文治，上下數千，百年人才輩出。遂稱文獻之邦，喚醒人心，輝騰上國，史謂「嶺南文風。」

自士王始厥，功顧不韙歟，當是時，三國鼎峙，中原沸羹。惟我一方，獲蒙案堵，名賢達人聞風而來，爲文物聲名之藪，王北事大漢，東詘強吳。兄弟各帥列郡，一時榮耀，翰墨噴噴。而王號出於州人之自呼，固未嘗偃然自尊大，如南海尉佗之黃屋左纛也。保畏天者，保其國，鐘磬車仗之儀衞四十八年，享九十餘之天壽，生受榮名，沒有顯號，轟轟烈烈一場，沛乎其興，莫之能禦，邈然寡儔，誠罕見也。

幽靈備載。身後數事，後之鳴奇者，相傳王生前，訓授數千人，薨後遺命覆斂，講聲遂息。而門人不忍用常禮斂襯王墓中，夜靜月明，常聞王講讀之聲，一似平生敎誨時也。北人畏其靈異，發墓覆斂，始息講聲，此說怪誕不經。

今廟在超類清湘，累朝給贈，墓在嘉定，三桠堆阜拱伏，草木葱鬱，旁近祈禱，有應千里途，有望祀亭，扁曰：「南郊學祖」鑄銅馬爲祭儀，行人來往過者，皆下馬揖拜，白方庵先生常爲鄉人制亭帖云：

朔甸文宗洙泗後　南郊道祖洛閩先

蓋深爲嘆咏於斯文也焉。

按：古人皆諱名，未聞以姓爲諱者。今超類嘉定二縣，近祠廟者，皆諱「士」字，而尊諱闕名，頗爲野陋。其亦如東安人避褚，童子諱以子字，爲諱逮此類歟！

附　錄

順安府嘉定縣三桠社官員職色耆老文屬等，嘗聞鎔銅鑄馬，蓋使之彌堅，采石勒碑，正欲其不磷。是故銅陀之有置，石龜之有題，其所從來遠矣！能不頂禮尊焉？況玆鑄之馬，勒之碑者，豈但玩耳目快心思而已哉。

夫運莊山已成之幣，爍巧冶之烘爐；轉南山未琢之珉，弄鐫工之拔手，徒爲費虛者也。蓋因奉祠而有焉，馬因成馬而有碑，碑不石何以久？馬不銅何以堅？且又不碑馬不碑，何以尊廟貌？屹崇顏，聳觀瞻，垂遠近，而表奉事之，眞誠昭神明之功德歟！恭惟尊王上等神靈，南文宗主粵，從先祖出望邦東魯汶陽，頃避莽朝，遷我越蒼梧廣信，邇來六世，□□嚴君，當桓帝握符於中華，遙依宸北；啓右族錫壤於初葉，遷守日南，有開必先克昌厥後。

王毓鍾秀氣，繼述善心，游漢京，從潁州得師友於早歲。讀春秋治左氏成解註於一家，尙書之義益詳，簡籍之疑悉究，其習於魯國之風流，有如此。非所謂優於學問乎？已而孝廉一舉，補尙書郎，茂材一登，除正陽令。其發於科舉之事業有如此，豈非所謂達於從政乎？

迨至靈帝末年，尋遷交州太守，其在州也，寬厚愛人，謙虛下士，保全境土，政令一新。農商之業舉安，寧謐邊疆，外戶不閉，羈旅之徒遂願，國人親愛，皆呼曰：「王多士往依，咸蒙其慶，雖竇融之保河西，曷以加焉？」兄弟列州郡，子弟從兵騎，雄長一方。出入鳴鐘磬，道路備吹簫，威騰萬里，貴重當世，震服百蠻。雖武帝之創帝基，不能踰也。

丁亥歲，漢帝徵張津敗，賜以璽書，委董督七郡之群。庚寅年，孫氏遣步騭來，用其節度，假遙附東吳之勢，于時，北因曹操，今年加龍度之封；東讓孫權，明年致龍編之命。不吝玳瑁明珠之貴寶，康措蒼生，不愛蕉椰異菓之甘珍，保安疆土，以全越之地。亦孔之厚，土宇版章，當三國之衝，獨占其安，人民城郭，何其智哉！官事少暇，常懷山水之娛。披閱圖書，靜探聖賢之秘。究明墳典，作養人才，周衢響木鐸之音，縉紳圜橋門之聽。淑人心以禮樂，化國俗以詩書。龍編聞弦誦之聲，濟濟衣冠，魯郲其國；羸樓引泗洙之派，藹藹多士，游夏其人，安南文憲之邦，從茲創始。我越綱常之道自此洪源。是恩澤不止施於當時，而功德又以及於後世。豈不盛哉！

觀袁徽遺荀彧之書，則知漢人亦起敬矣！豈特胡人之夾轂焚香哉！讀宋太封大行之制，則知北史亦留芳矣！豈但南史之載筆榮衮哉！惟餘青汗永垂，君熇如在。英靈不朽，足以却林邑之兵；盛德未忘，所以感交州之廟。龍編因是而創立，陳朝因是而追封，祀典因是而無窮。英才賢輔，咸稽首而鞠躬，英名偉烈，亙千古而增隆肆。今國朝皇圖鞏固，文治肇興，奎象開祥，春回玉律，山河奠金甌之勢，社稷嚴磐石之尊。追思開物成務之功，不替報本反始之禮；籩豆靜嘉，犧牲肥腯，上人昭崇重之盛儀；大夏稱德，河洛思功，下人仰作成之餘韻。不有先覺，孰啓後人。九仞宮墻之地，見其禮而知其政，聞其樂而知其德；千秋名教之區，賢其賢而親其親，樂其樂而利其利，舉國皆然，舉世皆然。況蔭甘棠之蔽芾，接垣墻之馥郁哉！

眷惟京北順安，實占中夏形勝。在嘉定則於三桠，在超類則於隴廛。地有建祠，民爲守隸。奉余官役，監守廟殿，于茲有年矣！茲三桠社全社，竊以廟宇雄構，旣從曩日而經營，第猶木馬舊彫，曾歷多年而陳久。庸此蟻忱，聊展方將，鸞駕虔修。然其良木之可雕，孰若美銅之宜鍊？會同輿議，爰起駿功，廣採赤金，鑄成新馬。白色一，紅色一，冶工告完；千斯年，萬斯年，崴風長在。祠垣增壯，精彩添輝，出色麗春夏之韶光；寒容凛烈，生威儼秋冬之露雪；奇彩射光，萃文物清明之地，囿光融和煦之天。禮備樂和，四時饗其報，人康物阜，一邑受其庥，百福鄉民長慶太平之有象，億年扶國祚，永衍宗祏於無疆。是皆神明保佑之陰功，聖道扶持之大用。其精神命脈，萬世長顯，默相陰扶，權輿於此，茂功盛德，蔑以加矣！靈聲餘烈，豈無補哉！因銘于石，以壽其傳。皇朝永盛萬萬之二歲在甲子孟秋望後穀旦刻賜卒未科第三甲同進士出身京北等處，憲察使司憲察使海南至傑阮侯奉撰。

順安府嘉定縣三椏社

士王祠在焉，王初守我越，都龍編卽其地。缺後于此建陵焉！又于此立祠以祀之，我案察本郡，途經祠所，親就行禮拜謁，適當伊社諸員興功修造，前來請予撰碑文，予應曰：

王以汶陽魯國之宗，爲我越文獻之祖。其譜諜之後，先履歷之始，末學問之淵奧，與敎化之洪澤。治功之彰著，服遠恢張之智略，見於史之所書者，歷歷可考。何待贅於碑，碑豈足以盡形容也哉！伊等皆曰：

皇朝永治元年，加頒令旨，伊社爲邑隸民，曾有賜己亥科第一甲進士及第第三名光進愼祿大夫，吏部右侍郎京順嘉相公阮甫已撰之矣！至永盛二年，伊社鑄銅馬二，紅色一，白色一，亦有碑。其文是京北處憲察使官至靈傑特尊相公所撰，中間其銅馬悉爲匪寇所毁，幸賴王之威靈，隨卽追復。從此易置祭田，至今，諸員再集，興功會議，各捐出美銅。復依前日舊樣，鑄銅馬以供祀事，我亦京北憲察使，因具徵文。

我私記國史，王在位四十年，壽九十歲。當時，威名莫二，震服。百蠻，鳴鐘擊磬之盛儀，夾轂焚香之武步。依然如在，祇爲歲久物陳，未有以備祭儀，而尊廟貌。維時玉色如生，奪晉末林胡之魄；神威永感，華陳朝玉璽之封，英氣不朽，所以能爲神。在天之靈，閱千古如一日，以是，闔境之中，胥同敬仰崇奉之致，其周旣鑄之銅馬，以昭其文，又欲勒之石碑，以壽其傳，殆無不可，因薰沐命筆爲之記。

皇朝景興萬萬年之四十歲在己亥孟秋穀日，賜己丑科同進士出身，京北等處署憲察使，刑科都給事中清河弘永阮廷簡易軒拜手奉撰。

布蓋孚佑彰信崇義大王

按趙公交州記：王姓馮名興，世襲唐林州邊庫夷酋長，號曰：「官郎（蠻俗今存）」王家資豪右，力甚驍勇，能搏虎排牛。其弟名駭，亦有健力，能負十千斤石，或千斛小舟行十餘里。諸夷獠皆畏其名焉。

唐代宗大曆中，因我安南軍亂，兄弟相率狥（一作服）諸鄰邑，皆下之，所至無不披靡。王既得志，更名巨老，駭更名亘力。王號都君，駭號都保。用唐林人杜英倫（一作翰）計議以兵巡行，唐林長峰等州人皆歸之，威名大振，聲言欲圖都府。時都護高正平以幕下兵攻之不克，憂憤發疽卒。王入都府視事，七年薨。衆欲立駭，其輔佐頭蒲破（一作拔）勸者，力能排山舉鼎，勇力絕倫。固意不從，乃立王子安，率衆拒駭，駭避。蒲破勸遷朱岩洞後，不知所終。安尊父爲布蓋大王，蓋國俗稱父曰布，稱母曰蓋，故以名焉。

安統繼二年，唐德宗拜趙昌爲安南都都護。昌入境，使使奉儀物先諭安，安具儀衞率衆迎降，諸馮遂散。初王卒，能顯靈，常於村民中現形。千車萬馬飛騰於家屋上、古樹間。衆人望之，恍如雲成五彩，絲竹管絃遙傳響於空中，又有呼喚之聲，旗鼓相望，轎輞射目，皆望中分明見之。凡邑中有驚喜之事，先於豪長人夜間已見異人報告，衆以爲神，於都府西立廟奉事，祈晴禱雨，無不靈應。

凡有盜刼、咒咀狐疑之事，具禮就祠前拜謁，就中盟誓，立見禍福。商賈之人，具禮求厚利，皆有應。每於社日謝禮，人山人海，轍跡盈道，廟貌巍峩，香火不絕。

吳先主建國時，北兵入寇，先主憂之，夜中忽夢見一白頭翁，衣冠儼雅，羽扇竹杖，自言其姓名。曰：「已領神兵萬隊於要害處，預爲埋伏，主公急進兵拒之，自有陰助，無須掛慮。」及白藤之勞，果見空中有車馬之聲，是陣果大捷。先主異之，詔建立殿廟，增壯舊規，並給葆羽，黃纛銅鉦，羯鼓萬舞，大牢致謝，歷朝沿革，漸成古禮。

皇朝重興元年勅封孚佑大王，四十年加「彰信」二字，興隆二十年，加「崇義」二字，至今英威增壯，香火不絕云。

僭評：

馮都君非常人也，必有非常之遇，非常之遇，必待非常之才。觀其力能搏虎，氣欲呑牛，素爲州人所畏服。非有出人之略，能若是哉！

正平告殞，從容入都城，擁七十之牙纛，握萬里之雄威，方面獨尊，禍福由手，蓋儼然一趙李也。豈直梅黑帝之覇占一州者比哉！雖運猶內屬，旋見併於趙昌。然丈夫出色，不爲虎吏所覊，鈐午峯目爲土豪之翹楚，運雖屈而所遇皆伸信，是英雄好漢。又況大內顯靈，白藤助陣，孚佑彰義，炳炳纔書，其生也得榮名，其沒也留顯號。

馮布蓋其人未易多得，臣有破勸盡忠竭節，敦事主之心，子有馮安敬善繼承，廸畏天之義。唐林一境騤騤，其名勝之鄉，到今英才挺出，未必不由馮公開一赤幟，眞所謂不朽云。（一說唐林今福祿是馮使君，今爲蒙阜社福神未知是否）。

趙越王李南帝

趙越王舊作明道開基聖烈神武皇帝，

李南帝舊作英烈仁孝欽明聖武皇帝

趙越王姓趙，諱光復。南帝姓李諱佛子。皆前李南帝李賁之部將也。

梁武帝時，我交州太平縣有李賁者，世爲豪右，奇才出人，常有蕭曹氣度。又有幷韶，富於詞藻，文學素優，詣選求官，梁吏部尚書蔡樽以幷姓前賢未有，而其人丰度可觀，除廣陽門郎，韶耻之，賁與返回故郡。因刺史武林侯蕭諮刻暴，行政多失，衆心乃潛謀反。

時賁監九德州，連結九縣豪傑，器械精銳，俱各起兵擊走，刺史蕭諮奔回廣州。賁出據州城會林邑寇日南。賁命其將范修擊之于九德，因獲大勝，敵寇盡散，乃自稱爲越王。置百官，改元天德，國號萬春。

梁帝聞之，拜廣州刺史陳伯先爲交州刺史，聞賁稱王，率師討之。賁戰不利，退軍屈獠洞被病終，其稱號自梁大同七年，至大宋二年亡，凡八年。

李佛子本朱鳶人(今充蘭是)，爲賁左將軍。朱鳶此地有一巨澤，廻周深浚，不可以里數約度。賁既亡，佛子乃收其散卒，得二萬人，號令指揮，潛隱澤中，夜則刼營，晝則潛伏。伯先使人斥候，知其爲佛子也。率兵討之，竟莫能得，衆推爲夜澤王。

佛子居澤中一年，夜見黃龍，脫其爪與之，告曰：「取此納兜鍪上，寇敵見之，自然畏服。」會建康有事召伯先北還，留其將楊孱守鎭，代行事務。佛子自得神爪之後，謀略出奇，所戰皆勝。又因伯先北還，遂率衆攻孱，孱拒戰，一見兜鍪便即敗死。佛子入據龍編城治祿螺武寧二處，自號南越國王。

光復乃賁族弟，賁亡，遂從賁兄。天寶率衆三萬，奔竄夷獠，伯先購求之不得，天寶至洮江源頭野能洞，見此地名勝，土物肥饒，地產饒而廣博，築城居焉！生聚日繁，智能廣洽，遂能野能國，衆共推天寶爲桃郎王。未幾薨，無嗣，衆共議推光復爲王。會聞伯先北還，光復乃引兵東下，左右勸光稱帝，光從之，因號南帝。與越王戰于太平，凡五戰干戈，旁午矢石如飛，而勝負未決。南帝兵少却，意越王有異術，請和。越王亦以南帝乃貴族屬，分國劃界于君臣洲共治，南帝據烏鳶，爲其子雅郎求婚于越王，越王以女杲娘歸之。情好既密，琴瑟交諧，雅郎潛問杲娘曰：「兩國昔爲仇讐，今爲婚姻，天緣作合，遭際奇緣。前年兩國交爭，父王兵機神妙，能出我父王之右，不曉有何妙術，致此奇謀？」杲娘係是針線女流，那識波濤世態，即密取越王龍爪兜鍪示之，幷語其故。因曰：「我父王從來克敵賴有此耳！」雅郎潛謀易爪，乃謂杲娘曰：「吾爲駙馬日久，懸念雙親，豈有久戀衽席之私情，乍缺晨昏之甘旨。吾意欲暫回問安，方孚至願，爭奈路途遙遠，來往費程，顧不可朝發而夕至也。散多聚少，悵惘何如，吾歸國後，爾倘有不虞之變，跟隨王駕，去向何方，卿當以鵞毛爲便吾尋問。」雅郎歸，具以事白南帝。南帝大喜，即引兵直入越境，如履無人之壤，越王不之覺，親披兜鍪拒戰以待。南帝神機既奪，兵氣不振。帝自知不敵，携其女南奔，欲擇險地躲避，敵兵輒踵其後。

因至州府憩息，左右報曰：「南帝兵至矣！」王恐，大呼曰：「黃龍神王不助我乎？」忽見黃龍指告曰：「無他，祇是王女杲娘以落毛引道，是大惡賊，不殺何待？」王顧以刀斬之，落入水去。王引馬奔至小鴉海口，途阻復回，東向至大雅海口，嘆曰：「吾窮矣！」忽見黃龍劃水爲道，引王入水，復如故。南帝兵進至，渺然不知去向，遂引兵回越。

王據國十九年，起自梁大寶二年辛未，至陳大建元年乙丑亡國。人以爲靈異，立祠於大雅海口。重興元年，册封「明道皇帝」，四年，加「開基」二字，興隆二十一年，加「聖烈神武」四字。南帝既併趙越，乃遷都祿螺及武寧處，封其兄昌岌爲太平侯，守龍編。封大將軍李晉鼎爲安寧侯，守烏鳶城。在位三十年殂。起自陳大建三年辛卯，至隋文帝仁壽二年壬戌。

南帝殂，子師利立，數年爲隋將劉方所滅。南帝旣薨，國人處處立祠奉事，廟在小鴉海口，安康坊最靈異，重興元年，册封英烈重威皇帝。四十年，加「仁孝」二字，興隆二十一年，加贈「欽明聖武」四字，二廟至今香火不絕，稔著靈應云。

僭評：

前李南帝負超世之資，雪屈人之耻，鴟張九德，電掣日南，稱帝命官，改元建號，亦可謂日南之豪傑也。

伯先南指屈洞，退師徒，令人有不滿襟之嘆。佛子李克皆萬春之部將，一則據朱鳶之險地，伺機而馘楊孱，一則收野洞之遺氓，乘時而窺嶺表，俱帝俱王，足伸壯志。然一淵不兩蛟，一棲不兩雄，淵界雖劃，而雄心不劃，婚杲娘，易龍爪，逼鴉海口大螺城，險哉！南帝之用心也。

陳朝兩錫册封，本無甲乙，廣稽幽靈所載，越王近正，龍君劃水之事，其或諱陣歿之跡，而爲王回護歟！趙之龜爪，而易於仲始。李之龍爪而易於雅郎。前後影射兩娘子皆以情溺，不解機關者也。與夫媚珠之揚光於玉井，杲娘之含憤於小鴉幽明之際，或有或無，抑亦有幸與不幸耳！此事有諸？曰子不語怪。

天祖地主社稷帝君

帝君邸后稷，敎民播百穀，自周以來，祀爲社神。我國設祀在羅城之南國平門側，廟殿嚴肅，俗曰：「社壇司神，威靈素著」歷朝郊祀，配天有旱蝗，祈禳輒應。重興元年，追封后稷司帝君。四年，改封天祖社稷帝君。興隆二十一年，加天祖地主社稷帝君。

僭評：

記曰：有功德於民則祀之。后稷粒我蒸民，功德莫大，國之有祀久矣！我國肇據日南，先稱殷祀，君熇肸蠁陰有，以培千百年安寧悠久之基。然帝君非號，天祖非名，祀典當稱社稷之神，庶爲明簡。按先農里皆有祀，惟國方得稱社稷。黎朝自靈江畫界，以棣營爲重鎭，鎭有社稷壇，不涉經典，僞西邑富春，而乂安鎭猶仍壇號。

近有一士子喜詼諧，善圖畫，僞署鎭祭社稷禮竣，命畫圖，依畫壇壝如式，下畫一狗喫祭餘殘骨。題曰：「苟有利於社稷」蓋深嘲之也。夫神者聰明正直而一，非禮之薦神，其享之乎？其吐之乎？又國中上田下田，及攘餞旱蝗，皆祀神農。而嘗新只用諸亭寺。家廟，最爲背本。

竊使一歲之中，惟嘗新當爲大，祈福粢盛，肥腯精潔，以報神賜。歲大豐熟，歌唱以侑神，非惟合有報之文，兼之新穀既登，百用不匱，公私皆便。此宜明著爲成式，遵而行之，不可拘泥可也。

制勝二徵夫人　舊作徵聖王

史記：姊名側，妹名貳，本姓雒，乃我交州雒將之女。峯州麓冷縣人。姊適朱鳶縣人詩索，有勇力，尚豪氣，見上風生。刺史蘇定設法陷之，姊怒之，與其妹舉兵逐走蘇定，攻陷我交州。由是，日南合浦九眞望風響應，略定嶺外六十餘城，自立爲越王，治朱鳶，始稱徵氏。時蘇定走南海。漢光武聞之怒，貶定儋耳，遣馬援劉隆等率大軍擊之，至浪泊，夫人拒戰，衆寡不敵，退保禁溪，衆日離散。夫人勢孤沒于陣，土人哀之，立祠奉事，屢著靈應，今祠在安喝縣。

李英宗時，因大旱，命淨戒禪師祈雨，尋得雨，涼氣襲人，帝喜觀之。忽見睡夢，見二女芙蓉面，楊柳眉，綠袍赤裳，赤冕束帶，鐵騎隨雨二過。帝怪問之，答曰：「妾即二徵姊妹，奉上帝命，行雨也。」帝悟而感之，敕重修祠宇，具體致祭，尋遣使迎歸大內。城北建雨師祠以祀之。後托夢于王，請立祠于古來，上從之，敕封「貞靈夫人」。重興四年，封姊制勝夫人，興隆二十一年加「純貞」二字，又加妹「保順」二字。稔著靈應云。

僭評：

中朝隔遠，守令貪殘。當是時，百男之國，皆蘇使君之妾婦也。夫人以齊媚之姿，皆有不共戴天之讐，裙釵唱義，閨閫連盟，逐刺史，略都城，九眞合浦之區重見天日，豈不烈烈轟轟然一大丈夫哉！

自古以陰柔居六五，如呂雉武曌，固當號令海宇，叱咤風雷，然皆承先帝之丕基，欺嗣君之幼蒻，以威力馭下，終爲千古之罪人。二夫人提一旅之師，一朝定五十六城之地，垂裳百越，南面稱孤，與趙武李南帝相伯仲，使後世從而王之。雖不從人，卒有禁江之敗，而正大光明之氣浩然宇宙間，使人嘆慕。而興起漢唐晨牝，其可爲蓉冠綠衣之媵御乎？

今廟在福祿之安喝門，堂宇肅整，入之儼然敬起。邑人以時迎接，又爲象馬戰陣之狀，氣象凜凜。安朗夏雷別有祀儀仗器，廟貌壯麗，行人過其廟者，留連覽勝，輒爲吟題。墨客騷人往來如織，夫人眞不死矣！

近有爪牙之烈婦，琵琶之貞妃，從容就義，舉國嗟呀！如許氣槩，使遇徵王之地，安知不能起麓冷而略朱鳶，嚮日南而清浪泊，爲掀天揭地之事耶？

協正祐善貞猛夫人

夫人沒姓氏，占城人，名媚醯，故占城國王乍斗妃也。李太宗朝，乍斗不修職貢，失藩臣之禮。上親南征，乍斗引衆陣于布政江，尋爲王師所破，乍斗死于陣。其妃妾被俘而歸，至滋仁江，上聞媚醯之美，遂密令中使召侍御船，夫人不勝憤鬱，辭曰：「蠻妾俚婦，惡衣惡食，言語麤陋，不類中華妃嬪，悵今國破夫亡，自分一死，若狎強合歡，恐汚龍體。」乃密以白氎氎(占城好布)自纏，付性命于江流，澎湃一聲，已失美人蹤影。上驚異自悔，救拯弗及。

是處夜靜波澄，月明星朗，常聞婦人哀訴之音，村民以爲異事，表請立祠奉事，自此始息哀訴之音。後上幸滋仁，舟泛江心，見祠在江側岸，上怪問，左右以事對，上默然良久，曰：「不圖蠻女有此幽貞，果脫奇英，切須報朕。」是夜三更將晚，偶見香風一陣，冷氣逼人，見一婦人且拜且泣曰：「妾聞婦人之道，從一而終。先國王雖不敢與陛下爭衡，然亦一方奇才男子，妾曾濫預巾櫛，恩愛叨榮，不幸而國破君亡，妾日夜悽愴，只思圖報。裙釵弱質，計出無由，辱荷陛下洪恩，遣使送妾得歸，泉臺會面，妾願悉矣！更有何靈敢來唐突？」言訖忽不見。上驚醒，始知是夢，即具酒致謝，敕封「協正娘」，自後遠近祈禱，輒見靈應。

重興元年，勅封協正佑善夫人，四年加「貞烈」二字，興隆二十一年，加封「眞猛」二字，至今奉事愈見靈應云。

僭評：

易曰：「見金夫不有躬」甚哉！世態之可鄙也。占城國椎髻裸身，白布纏手，食無節，記事用夷字，通國誦經念佛，不事詩書，未嘗知倫常之義。而夫人以一介婦人，有沉魚落鴈之容，閉月羞花之貌，服事驕王，靈江崩角，山河漂絮，奮然辭萬乘之榮，顧捨一朝之命，毅然有恒固坤貞之節操。幽鬱之氣，每於朝烟嵐夕之間，彷彿於江館漁船之上，貞心烈節，常托響於怨雨悲風；怒氣哀聲，每寄恨于橫波逝浪。如泣如訴之聲，千古猶梟梟。人耳滋仁立祠，重勅疊封，想夫人泉下之靈必不以此爲榮也。宋靖康北狩，皇后王氏爲金酋粘沒罕行酒，中原士民爲慚赧，其視夫人爲何如哉！（按謚號當稱貞烈，至於勇猛字殊屬俚野不合）

歷代輔臣

威明勇烈顯忠佐聖孚佑大王

王姓李名晃，李太宗第八子，母貞明皇后黎氏，爲人忠孝恭謹，果敢有爲，號八郎皇子。乾符有道元年選試乂安洲，歲租居職數年，秋毫無犯，有廉直名聞。上嘉愛之，賜號威明太子，拜知本州軍民事。

時太宗欲征占城，命王別置私墅曰：「婆和寨務得險固，四面開深溝高壘，寨中地廣，可容三四萬軍。府庫錢糧，可供三年之用。」及上南征，果獲大捷，斬占城王乍斗于陣，俘獲其妻妾士女，輜重金銀貨寶以千數億計。帝凱還至本州行營，知王幹當公事無缺，政令一新，更委本路節鉞，加進王爵。又勅賜定本州一路，帳籍共六縣四場六十甲，百姓民戶凡四萬六千四百五十戶，口五萬四千三百六十四。又奉令旨凡諸場甲長者，今後只宜置大攝管甲，不得如初，濫稱太子主簿，王府主簿。王又以乂安沿山夷獠多未內屬，因奏請于朝，有詔委令，持節巡邊，夷酋皆服之。所獲州五寨二十二，柵五十六。又詔度州地三邊疆界，築碑勒石，以紀遠功。

逮聖宗龍瑞太平二年，平翁偈李否諸匪賊還，有流言于帝，謂王專政，擅自用兵征討。帝惑之，王遂解職，蒞州事務，凡十六年。令名日聞，人民信愛，及聞解職，民爭攀輿叩馬，涕泣願留。未幾，王方閒坐廳中，適一寒鴉飛入，幕間燕雀爭相喧鬧，家人欲捕之，王令勿動，徐觀飛止。寒鴉飛遍幕中三匝，又飛往王廳坐前，且飛且鳴，越入王懷中，落下成一白紙張，中有字形，模糊不可詳認，但如龍雲樣，王令別藏。

是夜，月白風清，光景可愛。王乃遍請親朋齊來賞翫，笙歌迭奏，殽酒盛陳，歡笑堂中，不啻瑤池勝會。王忽瞑坐，見一人六十歲年齒上下，服獬豸冠，紫霞衣，腰間束帶，手持青龍偃月刀，前來致辭。王問之，對曰：「臣乃天上武曲星也，奉丹霄玉皇令，請王前往紫虛，帝君所草玉牒一章。」王對曰：「愚乃塵心肉眼人，焉能行天上事務？」以手拂青龍刀固辭。忽有祥風動鞦韆，王驚醒，方知是夢。王具述以告，并日間所見飛鴉之事，親朋皆謂吉兆。王入寢，忽無病而終。州人請立祠奉事，祈晴禱雨，無不靈應。爲一州大福神，諸處聚落皆有別祠饗，凡天子出師征討叛逆者，必迎王轎前行，所戰處，空中聞兵馬之聲，俱獲大勝。

陳元豐中，太宗南征占城，王船行疾如風，果獲勝捷凱還，軍至州行殿，勅封威明勇烈大王。重興元年，又賜「顯忠」二字，四年加「佐聖」二字，興隆二十一年加封「孚佑」二字。

僭評：

我國古以木綿隘爲南界，乂安蓋國之極邊也。歷代軫轄之任，大率以琦瑁沉香爲囊橐，以鐵林白檀爲箱函。鮮有能以撫字保障爲己任。李八郎親爲帝子，擁節鉞，當方面，而能使民夷畏服，朝野稱頌。其去也，有攀輿涕泣之思；其卒也，有奉命升天之兆。朕民慕王之功德，立祠祀之，其感人之恩，爲何如哉！

當是時，六軍南伐，水陸俱進，而王從容幹濟，公私兼便，此其尤難也。近有抑齋超忠公畱順，十八年，黃蓋而宦績寥然無聞，惟輕徭范。尙書以儒臣當鎭，未幾遽卒，軍民追思功德，立祠祀之。梂營廟，乃知公侯干城之任，豈專倚於赳赳哉！

校尉英烈威猛輔信大王

王姓李名翁仲，慈廉人，身長二丈三尺，氣質端勇，異於常人。少時仕於縣邑，爲都督所笞，嘆曰：「人生壯志當如鸞鳳，一舉萬里，焉能受人唾罵，爲人奴隸者哉！」遂入學。日就月將，發明經史，入仕秦爲司隸校尉。始皇幷天下，使將兵守臨洮。聲振匈奴，始皇以爲瑞，及老歸鄉里，始皇命鑄銅爲像，置咸宮司馬門外。腹中容可數十人，每四方使至，潛使人入腹中動搖之。匈奴怳見，以爲生校尉，相戒不敢犯邊。

唐德宗貞元初年，趙昌爲我安南都護，常遊其境。夜夢見與語治道之要，及講左氏春秋傳。因訪其故宅。只見烟霧橫空，滄茫一水，苔封石徑，碧落荒叢，一片閒雲，空委落花，村草遂別，創造祠宇，高廠層樓，備禮致祭。

迨高駢破南詔，常顯靈助順，駢大驚異，命匠重修祠所，增壯舊規，令木雕漆眞像，備禮致祭，香火不絕。重興元年，勅封英烈王，四年加封「威猛」二字，興隆二十年，加封輔信大王。

僭評：

香俸董藤，我國四最靈也。扶董天王，藤州神王，皆浩然之靈氣，不可得而名狀。李校尉以二丈之身，仕于上國，官授司隸。威振匈奴，臨洮之人畏其威，而懷其德；生時人咸思慕，沒後懷不能忘。鑄像置門外，機轉搖動，凜凜如生，遠而望之，足以褫強胡之魄。數百年後，表夢於趙昌，顯靈於高駢，烈烈英聲，宛與天神相伯仲，顧不韙歟！廟今在慈廉之瑞香，去東城四十里，堂宇峻邃，廟貌莊嚴，峙立于江邊。縱頹波激岸，萬里奔湍，而儼爾巍峩，屹然不動。當廟前有渡，乃上流赴京，往來所必由之路，大都會處，商賈行人，高才逸客，絡繹輪蹄，往來如織。而終古晏然，永息風濤之患，人皆稱頌佑焉！瑞香最殷富，歲時祀事，豐潔遞年，七月望日爲大祈福會，觀者林立，道塗市肆，康莊有市廛之勝。槩其廟祀儀祀器，整肅凜然，瞻者莫不起敬。

比與儷遊金洞，兩祠可相埒矣！人多詣祠祈禱，求嗣保兒稱神賜姓，如雲耕節義兩兄弟皆稱李陳，即神所賜姓也。摭怪所記略同，中有假稱泄瀉，擁粥請驗，及以水銀殮載數事，怪誕不經，削之可也。

太尉忠輔勇武威勝公

公姓李名常傑，昇龍京右畔太和坊人，父安語官至崇班郎將，世龍簪笏。公多謀略，有將帥才。少以手姿俊雅，聲譽昭彰，充爲黃門祗候。李太宗朝，累遷內侍省都知，聖宗拜校尉太保，居職恭謹，動遵禮法，無纖毫之過。蒙授節鉞，經訪清華乂安二郡，吏民及五縣三源蠻獠等，若有逆命者，委鎭服之。惟占城怠于職貢，上親征之，公奉領大將節鉞，充爲前鋒，俘其主制矩，以功除輔國太尉，遙受諸鎭節度同中書門下，上柱國天子義弟，輔國大將軍，開國公。

仁宗卽位，升輔國太尉任大臣職，英武昭勝。初，公聞宋人欲下兵馬遠窺我境，以啓兵端，卽上奏曰：「坐待敵至，不如先發以扼其鋒。」乃命公統領大兵破邕欽廉，克三州四寨，俘獲貨物，不可勝數。龍符元年，授內侍判省押衙行殿內外都知事。

是冬，討演州賊，李覺平之宋報，寇陷陸略等州，公戮力築城于如月江渡，克復武平源，師還，大加褒賞。及卒，贈入內殿都知校檢太尉平章軍國重事越國公。

食邑萬戶，以弟常憲繼封侯爵，民好鬼神巫覡惑人者，太尉深知懲罰，太半沙汰，嚴去汚風。故當時，凡有淫祠者，皆變爲香火福神，人民多受其賜。奏請立祠奉事，凡有祈禱，皆著靈應。重興元年，勅封忠輔公，四年，加「勇猛」二字，興隆二十一年，加封「威勝」二字，祠宇森嚴，靈應愈著云。

僭評：

李太尉一中常侍耳，歷仕三朝，始終無玷，北挫巨宋，南平強占。其立朝勳業頗似黎奉曉李道成，以此生名將死名神，洵無忝矣！孰謂黃衫賤隸，而有此等人物，此等勳業哉！

帝座有閽寺之星，周禮有寺人之職。而壅蔽天聰，濁亂朝廷，政體歷改漢唐宋元明，其爲蠹國擾民，指不勝屈，求如披之之事君，馬存亮之弭亂，李繼業之盡忠，何可多得？我越自李陳以前，未有聞椽人之難，黎中興後，宦官位僚班之上，文武皆附其門，生則結黨背公，歿則援例封王爵，塋塚擬山陵，堂宅僭王府。見者莫不震腕。湘竹之域，高姥之韶，又甚此者。

惟奉公黃五福以謹恪事上，以嚴明御下，常統大軍征伐，平阮質阮求之亂。賊望其旌旗所到之處，輒曰：「此墨鴉相公也」，爲之引去。其德之服遠有如此。勳業華於朝野，威烈聞於夷夏，而處廟堂，議政事，公明勇斷，毅然有大臣風彩。

甲午歲，爲上將渡靈江，擒逆傳將，數萬雄兵，如入無人之境。秋毫無犯，鍾簴不移，非智勇出人，能若是乎？南河人士至今猶思慕而歌頌之，以留守之殘卒，而追贈大王之爵。

昭統元年，詔削奪諸宦官王爵，惟曄公仍舊，此亦天下之公議，非獨鵬嶺之私意也。噫！曰南立國，上下數千百年間，求名臣，如內侍史中，歷歷青編，得如越公曄公者，其殆有幾多人哉！

保國鎮靈定邦國都城隍大王

按史交州記及報極傳：王本姓蘇名歷，爲龍度令王，世居龍度鄉於小江岸上。家資不甚豪富，齊家以孝弟爲先，三世仁讓，不別居。晉時舉孝，有詔旌表門閭。年歉患匱，詔賜貸粟，因以蘇歷命村名號。

唐穆宗時，長慶三年，都護李元喜見龍編城北門有逆水，地勢可觀，乃遍尋好高燥處遷府蒞居焉。其規制經營，重門疊疊，四面環列，屋宇參差，乃王生時故宅也。因牢牛釃酒遍，鄉村耆老請來具述，欲奏奉王爲城隍。上下齊心，謀議輿情，甚爲妥帖。遂興工修造，不日告成，宛然一簇崇祠，巍峩壯麗。慶成之日，萬舞交作，瑟管喧天，地以人而勝，人以德而隆，不其然乎？是夜元喜靜臥，窻忽有清風一陣，撲鼻而來，塵捲沙飛，簾搖案動，有一人乘白鹿自空中而下，鬚眉皓白，衣冠楚楚，告元喜曰：「忝使君委某王城，苟能敎化城中居民，竭節盡忠，方充牧守之任，稱循良之責。」元喜揖拜許諾。叩問姓氏，不答。忽然醒起，方知是夢。迨高騈築大羅城，聞其靈異，即具禮奠祭，拜爲都府城隍神君。

李太祖遷都時，常夢見白頭翁，彷彿於楓陛前，再拜稽稱賀萬歲。上怪問姓名，具奏所以，上笑曰：「尊神乃保百年香火耶？」應曰：「但願皇圖磐泰，聖壽無疆，內朝外郡泰和，臣等不只百年香火。」上悟，命太祝酹酒，封爲國都昇龍城隍大王。居民祈禱盟誓，立見靈應禍福。重興元年，勅封「保國」二字，四年加封「顯靈」二字，興隆二十一年加封「定邦」二字。

僭評：

鬼神之爲德，其盛矣！雖至幽而極明，雖至隱而極見。故曰：聰明正直謂之神。不可以衡尺度量也。觀於蘇王靈異之事，豈不大爲可畏也哉！

夫王以家世簪纓之裔，群處於洲渚之間，齊家一德，孝弟睦鄰，大小妥帖，遠近騰。惟憑孝弟之行，能中孝廉之選，能來絲綍之音。家貧以淸白自持，生平志操逈出常人；故生前雖北國詔表榮名，沒後英靈飛昇不朽，其始報元喜之夢，而層臺疊閣從此叨恩。繼而報入李帝眼中，而萬里權衡，一行鳳詔下天書，萬古之靈聲不替，其較與生前卿相死後褒封，豈非難中之易，易中之難者哉！

洪聖匡國忠武佐治大王

按史記：王姓范名匡（一作巨）倆，李太宗時以都護府多有疑獄，士師不能盡決，欲立神祠，要其彰著顯赫，靈英素著於塵寰。凡諸邪姦拜謁，不敢飾詐者，乃沐浴齋戒，焚香設壇，夜告上帝。

是夜夢見赤衣使者奉上帝令旨，勅賜范匡倆爲都護府獄訟盟主。上顧問天使曰：「是乃何人？典我何職？」使者曰：「其人乃黎大行朝太尉也。爲臣盡忠報國，係是社稷之臣，公廉易直，舉動風生。歿後，帝君訪察淸白無過，現補南曹局中司隸祿官屬，以宿世因緣，猶濁權賜降人間，典按疑獄主者。」言訖不見。上悟，召問廷臣，皆對曰：「此眞善人也，卽武安州牧范占之孫，參政范蔓之子，都尉范溢之弟。范占佐吳先主有開國功，封銅甲將軍；蔓佐南晉王爲參政都護；溢佐丁先皇及黎大行盛有勳烈，官至都統軍校；匡倆佐丁歸黎有佐命，功爲都指揮使，扈駕南征占城，有陷馘虜主首功，拜太尉。父子兄弟世有令譽。」上深然之，遂封爲弘正大王，後改爲洪聖。

是夜，上夢見王具冕袞冠服束帶趨拜龍墀，上異之，命文臣鐫石爲記，表其殊績。重興元年，勅封「匡國」二字，四年加封「忠武」二字，重興二十一年加封「佐治」二字。

僭評：

古之囹圄皆祀皐陶，蓋皐陶以聖臣才作士師，體簡寬之德，欽明允之司。百姓協中，四方風動，刑院祀之，刑期于無刑也。而范汝南猶以爲曲直，聽命於天祭之何益？范太尉何人？公然以獄訟盟主自任哉！叙其家世，浮沉吳晉，俯仰丁黎，大都隨世就功名者流也。公仕於丁歸於黎，今又臣於李，世有不忠不孝之訟，履到公庭，公其聽之乎？抑不聽之乎？傳曰：「無諸已，然後非諸人」，盟主倘若有靈，未必曰：「聽訟，吾猶人者也。」後人有詩云：

數炷心香夢赤衣，明教太尉典刑司。
南曹司裡天司祿，都護祠中鬼士師。
洪聖趨庭彰顯異，文官勒石記希奇。
千秋如獻丁黎案，盟主應難上下其。

都統匡國佐聖王

王姓黎名奉曉，清華府（今清化省）邦（一作那）山（一作冰山，今弘化縣楊山社是）社人。或謂黎定藩侯錠之孫，爲人高大奇偉，美鬚髯，膂力過人。公弱冠時，梁江翰甲有借力爭田者，王以手拔苗芽，竹連根蔕而戰，無敢當者。

越史補遺：王少雄勇，古碑潭舍二村爭地界，以兵相問。王乃揚袂謂古碑人曰：「我一人能當萬衆」，父老大喜，盛陳酒饌，俾王醉飽。王食腸素寬，飯用至三十銅鍋方飽，酒飲無量。是日，父老欵待，殊爲飽足。卽與挑潭舍社人二社夾戰，王聳身拔樹，橫臂指揮，所向無不披靡，傷者甚衆。潭舍人大懼，還古碑田。時李太祖選壯驍勇力人者，充宿衞禁。王爲應首，勤勞得力，甚合上心。累遷武衞將軍，與潭坦郭盛溢李玄師同列。

太祖崩，太宗奉遺詔卽位，翊聖武德東征，三王相率謀叛，各以本府衞兵直犯大內，分門爭入，亂相攻擊。事勢愈迫，王上惶恐，不知所出。卽命王委以大事曰：「朕進退不得已，卿便宜從事」，王遂出宮。府衞兵出大內宮門夾戰，甲兵旣接，勝負未決。王怒拔劒直至廣揚門，因大呼謂武德王曰：「王等覬覦神器，蔑視嗣君，上忘先帝之恩，下背臣子之義，臣奉曉奉劒爲獻」，乃直犯武德王所騎馬。武德王引馬欲擊之，馬蹶，爲王所斬。三府兵敗走，官軍追殺，殆無遺者，惟東征翊聖，僅以身免。

王還奏捷于太祖柩前，又詣乾元殿奏捷，上勞之曰：「吾所以克荷先帝之丕基，全父母之遺體者，皆卿等之力也。吾嘗披閱唐史，尉遲敬德匡君之難，自謂後世人臣無可與並肩者，今乃知卿之忠勇過於敬德遠矣！」王泣拜曰：「陛下德感天地，威振邊陲，朝野內外，翕然向風。諸公萌心異圖者，上下神祇皆得而誅之，臣等何力之有？」遂拜都統上將軍侯秩。

至天感聖武中，太宗南征占城，王爲先鋒，大破虜兵，名震蕃國。凱還日，定功行封，詔以公田在邦山下千餘畝，給賜爲王私田，蠲免斫刀穀稅。按史記：平占還定功，奉曉不欲爵賞，願得立冰山上，遠擲大刀，驗刀斫地內，賜以作業，從之。公登山一擲，遠十餘里，刀墜多靡鄉，卽以賜之，蠲斫刀稅。故愛州賞功，有斫刀之名，自王始也。

王盡忠事上，知無不言，故凡征伐所向克敵，年七十七卒。土人追思立廟，祀爲福神，村民祈禱，立見靈應。重興元年，勅封都統王，四年加封「匡國」二字，興隆二十一年，加封「佐聖」二字，至今廟宇巍峩，香火不絕云。

僭評：

「公生而穎異，夙抱奇才，勇力之過人，見於史所書者，未易多得也。觀其壯歲驍勇，三畝穫禾，只爲一擔，二十人饌，一食無餘，其異力有如此。我國黎如虎食力勇與公可稱伯仲，公之勳業，具在李史，其賢於尉遲敬德遠矣！

生有冰山之賜，足以表不世之奇，遭稅免斫刀，叨膺榮寵，沒有福神之詔，槩不朽千古之餘靈。廟貌長存，增光祀典。書云：懋功懋賞。不其然乎？今先豊白鶴之間，村人多有奉祀者，抑公之采邑，遺蹟猶存歟！

太尉忠慧武亮公

按史記及世傳：公姓穆名慎，以漁網捕魚為業。李太宗時，太師黎文盛，參得大理家奴，善於咒幻，能起濃變化，眞身成虎豹之形。文盛誘之，學得其術。遂設計陷殺其奴，潛謀不軌。

時方深，太宗幸西湖，觀魚泛舟，擊揖游泳湖中爲樂，忽然霧起烟暝，四顧莫辨。忽聞戛戛櫓聲，冒霧而來，霧中隱隱有一大虎，齷齪欲嚙人之狀。上望見大驚，時公於艇中，拋網捕魚，熟視見之曰：「事迫矣！以網撒之」，得一大虎，乃文盛也。詔以鐵索鎖木籠囚之，流于洮江上。嘉公有保護大功，卽拜爲都尉將軍，官至輔國將軍，卒贈太尉，建祠堂塑像奉事，其祠屢著靈異。

有一蟒蛇居祠側柱孔中，每到朔望祭禮，期從基礎下磻，蟠屈而臥。民人來往，不爲驚駭。若有邪穢人入者，多有所傷。日入後，復還柱孔居焉。到今祠宇增隆，村民奉爲福神，重興四年，勅封忠慧公，興隆二十一年加封「武亮」二字。

僭評：

湖在漢爲浪泊，在李陳爲霪潭，黎朝避諱改爲西湖，乃大羅城之一巨浸也。每到秋天，潦盡潭淸，水天一色，隱然有洞庭雲夢之勝。累朝以爲登臨遊玩之所，當此幻霧漫空，乘輿變色，雖有千乘萬騎，難施其巧。

穆郎一漁人耳，於國家未嘗霑一資半級之恩，而天子有急，奮不顧身。攖猛虎於驚濤，掃妖氛於晝晦，能使頂下七里之異相傳，垂衣南面七十年，公之勳烈爲何如哉！以江湖散人漁網爲業，一朝辭村落而廟堂，釋舟簑而軒冕。生官太尉，沒享福祠，豈不是雲龍盛會，魚水奇遭，千載一時，君明臣直者哉！

宜其大樹之蟠屈，巨蟒之朝伏，不足怪也。廟今在畿內廣德縣輞市坊，祠宇整肅，鎧仗森嚴，與西湖坊金牛祠相望。黎朝仍如國祭，近者東平范進士撰加封勅，有曰：抛密網於湖中，化虎之奸臣碎首；掃妖雲於艇上，乘龍之天子開顏，相傳以爲名句。蓋亦記其實云。文盛罪宜寸斬，帝乃宥而流之，於是乎失政刑矣！後人有詩云：

撒網終能退虎臣，目中不畏大姦人。
千重深霧橫舟掃，一大妖蟲舉揖嗔。
波響長留豪勇槪，元勳克濟聖明君。
迄今遺廟長轟烈，香火千秋上等神。

却敵善佑助順大王
威敵勇敢顯勝大王

按杜善史記：二王兄弟也。吳南晉王時，討龍州李暉賊軍，次扶蘭口，夜夢見二人衣冠奇偉，狀貌魁梧，見上曰：「逆賊猖狂久矣！請從軍助戰。」上怪問曰：「卿等何人？孤未曾識面，既蒙感格，宜白姓名。」二人皆羅拜曰：「臣等兄弟也，本扶蘭人，原姓張氏。兄名吼，弟名喝，皆爲越王將。越王爲李南帝所敗，南帝具禮迎臣等，欲官之，臣等皆應之曰：『忠臣不事二君，烈女不更二夫，況背義之人，欲屈不移之節乎？』遂逃匿于扶隆山。南帝屢召之，不應。南帝怒，令人追拿，不獲，購求千金，臣等進退無路，皆飲毒卒。上帝憐臣等無辜死于非命，勅補灘河龍君副使，巡武諒江，二江支蔓源流，號巡江都副使。向者先主白藤之役，臣等効力多助順焉！」上悟，命具酒饌致奠祝曰：「果有英靈扶助，此戰克捷，卽立廟分封，香火弗絕。」上始進圍崑崙山，賊倚天險，不可攀躋，軍士久屯，皆有阻心。

其夜，上復夢見二王督兵部伍，僚屬皆鬼神狀貌，行伍綦嚴，部落甚整齊，會于扶蘭口。其兄兵于武平江，至如月部，入富良江源頭，其弟兵沿諒江入南平江。上感悟，以語左右，既而此陣果獲勝，平西龍日，命使者分處立祠祀之，各封爲一方福神。詔封兄爲大當江都護國神王，祠立于如月江口；封弟于小當江都護國神王，祠立于南平江口。

李仁宗朝，宋兵南侵，至其境，上命太尉李常傑沿江築柵固守。一夜，軍士於祠中，忽聞高聲吟曰：

南國山河南帝居，截然分定在天書，
如何逆虜來侵犯，汝等行看取敗虛。

果然宋師不戰而潰，神夢昭彰毫髮不爽。重興元年勅封如月却敵大王，四年，加封「善佑勇敢」二字。

僭評：

勝負興亡，理也，亦勢也。禎祥妖孽，氣也。理勢所在，氣必爲之兆焉！故智伯將亡，霍山神以竹筒授襄子。契丹將滅，暢江神以俘首示完顏，要不出福善禍淫之理。二張以故越之臣，不屈於南帝，忠義之氣，皓然常嚮于天壤之間，固未可以毛疵論也。

生爲名將，死爲名神。入晉王之夢，而崑崙之賊以平；吟南國之詩，而宋師不戰自潰。以此應報，封爲福神，享千古蒸嘗之報，叨九重絲粒之榮。二祠今存沿江，優人皆避諱，呼喝爲唱。精英洋溢，千百年常如一日，使當時甘心降虜，饕取一時富貴，安得留芳萬世？使人嘆慕而興起者哉！

證安明應佑國公

按杜善史記：王姓李名服蠻。李太祖時，因省方至所步頭，望江山秀氣，懷風景勝遊，心神有感，灑巵酒於天方。祝曰：「朕觀此地，山奇水秀，迥異殊方，苟有人傑靈幽，受吾明享。」既而是夜夢見異人，高大肥壯，虎面龍鬚，衣服莊嚴，巾鞋楚楚，稽首再拜曰：「臣本鄉人，姓李名服蠻，佐李南帝，爲將軍，以忠烈知名，授杜洞唐林二條山河。夷獠畏之，不敢犯，一方案堵。及卒，上帝嘉其忠，守職如故，請具陳一二事干冒聖聰。昔唐相王時，臣常率鬼兵從丘和破逆賊甯長眞于峽山口。肅宗時，又破大食波斯賊于神石口。代宗時，又破崑崙闍婆賊于朱鳶。又高王破南詔及吳先主破南漢，黎大行破宋兵，每出兵征討，臣在空陰中率鬼兵暗助，率皆有功。又臣嘗擁鬼兵從天帝命，破占城于峽山鎭。當臣命沒之時，幽靈不散，村民愛而敬之，又恐無人防守，以禦夷獠之寇盜者，因立祠祀之。故臣得以傍影，彷彿雲霄間，凡有用兵，從空暗護，逆虜入寇皆捍禦焉。今幸遇陛下鑾駕光臨，特來拜謁。」既而吟詩曰：

天下全蒙昧，姑為隱聲名。
中天揭日月，光耀是真形。

言訖不見，帝未及對答，忽然驚醒，具以語告左右，御史大夫梁文任曰：「此神意要欲顯立形像之言耳。」上命置環玹立應，命州人立祠塑神像，一如夢間所見，廟貌森列，爲一方福神。

元豐間，韃靼入寇，至其境，馬蹶不進，村人素諳神力，率衆拒戰，斬虜首甚衆，賊遂奔散，不敢復窺其境。寇賊已平，册封證安南國公，詔賜闔村爲證安戶舍。

重興元年，北虜復入寇，到處皆焚蕩，經其邑如有防護者，秋毫無犯，虜賊既平，勅封證安王。四年加封「明應」二字，興隆二十一年加封「佑國」二字，愈著靈應云。

僭評：

山川之氣，其精華者，爲金玉珍寶。而藍田之璧，夜光之珠，照耀今古，感於人也亦然。善人君子，其氣之精華也，所步頭，山奇水秀，人傑地靈，李將軍實鍾毓之，逮事南帝爲將軍，屹然爲杜洞唐林之保障。身騎箕尾，閶闔簡知，英爽之氣常聚，武烈之績增奇，破長眞于峽山，殄闍婆于朱鳶，平南詔，定南漢，走宋兵，神秘不我欺也。

詩中詞意悠揚，貴姓尊名，不足爲村人俗客道。而立祠鑄像，儼雅遺容，華夷之所同歆仰。以韃靼之彊，弓弦所向，遼夏金宋諸大國皆望風迎刄而解，擁衆而南。風駭雲流，雷轟電掣，公以神力退敵兵，使安其所生，案堵如故平原之境。有功德於民，則祀之，公之功德爲何如哉！廟今在安鳳古所，制度甚整，鎧仗鮮明，歲時近謁禮奉，唱爲喝江一大都會。前朝世復其民，對與扶董白藤二祠相爲等埒，何其盛也。

世傳：寧舍進士阮邁鎭山西，嘗奉禮就宿古所祠，夢見婦人珠佩金冠，袍衣繡彩，錦韈羅裳，羞花妬月之容，玉面紅粧之色；手持數枝梅花，搖拽前來；滿座淸風撲鼻，香氣襲人。致辭曰：「自君之出矣！羅綺殘剩緣，尊駕來臨，祠宇嘗未光潔，使君有識，幸爲重修。」公曰：「夫君是尊姓何名？」答曰：「郎君前身是李將軍，今生卽靑梅進士黎英俊也，見往北使，敢白使君。」忽風動欄杆，驚覺，方識黃粱一夢，具以夢中遍告鄕人，重加修造。

及黎公使回，常有與阮公來往遊戲。阮公召家人指示曰：「此古所證安王也。」黎公以文學名，仕至尙書，權勢赫談，雖夢寐之間，未敢深信。而往來屈伸之理，亦露其倪。范仲淹前崑崙道人，富弼前冲虛觀禪師，其亦類此歟！」

附錄安所社神祠事跡記

按大越外史所記：嘉通大王，本古所（後改安所）鄉人也。才藝絕倫，善於騎射，弓矢尤其所長，大有威德，力能馴象。及事李南帝（與梁武同時），帝見其軒豁器宇，眞大丈夫，可當方面。許從戎事，屢立奇功。

後以杜洞一境，邊遠阻之地，非此僚不可治，乃拜大將軍，使往鎭之。一有號令之出，群雄屏迹，盜賊來降，方民案堵，境內肅然，老少咸戴其德。

及林邑（卽占城也）入寇于九德，邊書告急，朝廷建議出征，皆曰：「非杜洞將軍不能降服此賊。」乃宣制總率諸將往禦之，遂大破林邑于九德。捷聞至京師，帝嘆獎良久，謂侍臣曰：「有遇槃根錯節，乃知錯銳器。今杜洞將軍一發數箭，大破勍敵，眞是山西豪傑，雖古之干城，亦不是過也，可不重賞之乎？」乃以其多服邊之功，賜姓李氏，尙一公主，卽李娘也。

大王超陞太尉，自是寵遇日隆。又使參護府，儀式百僚。李少尉天資忠厚，性植清廉，有所建議，務從公直。立朝中，面折廷爭，不能容人過失，彈劾權倖，無所避諱，人不敢干以私。聲聞凛然，中外咸呼爲服蠻將軍（相公），而敬慕其德。

時南帝注心於邊患，使少尉遠鎭於唐林，兵權在手，威令遠加，頓清沙漠之塵，稍狼烟之警，不謂天厭李祚，風送梁兵。乙丑二年，陳伯先興師致討于朱鳶，蘇瀝以次底平。丁卯四年，（梁大治元年）梁兵乘勝，所向無前，李朝君宰失色，瓦解土崩，已傾覆於屈獠洞中。少尉聞信，愀然嘆息，忠激於心，乃命人謹守營屯害要諸處。忽夜間火光四面俱發，滿道蠻兵已近逼庭前矣！始覺人心岩險，天命難諶，乃率家將突重圍而出；再被地窮途遠，進退無由，少尉乃指天晝地，從容就義。家人奉送回湖馬津，(卽今玉津寺本社江名) 藁葬，起墳于本社洲外。

回天忠烈威武助順王

世傳：王號李都尉，不知何代人，不知名字。因渡江遇暴風而歿，幽靈不散，常於江津風淸月白之間，聞笑語之聲，空中似有簫韶之響。村中夜犬驚吠，現八男丁壯人，告村民曰：「我蒙上帝勅封爲江口神。」國人甚以爲驚異，立祠奉事，每月望常有蛇黃冠者，自江淵盤伏于祠中，村人尊爲盟主福神。

元豐間，韃虜入寇，陷京師。車駕出幸，擬順江流，遊覽至此泊宿，夜現夢，告上曰：「陛下不須遠幸」，上悟，命中使上祠焚香致祝，懇乞虜退，不得至此。後果如其言，賊平遂勅封回天神王。重興元年，加封「忠烈」二字，四年加封「威武」二字。

僭評：

此神無貫所人氏姓名，渡江風蕩，托夢示人。江有祠，祠有蛇，意者必是水神出世，未了夙因。見於元豐一夢，奕奕然有鑾書之封贈，惟謚號稱回天忠烈，頗似魏文貞。寇忠愍諸名臣常稱天幕江口顯靈神王，庶爲確實，又儞靈山神而稱朔天王，天慕江神，而稱李校尉，其名號較與扶董冲天王瑞香威猛王相朱紫，聞者詳之。

果毅剛正威惠王

按杜善史引交趾記：王本名高魯，乃安陽王之良佐也。俗號「都魯」或號「石神」。昔高王平南詔賊，以兵巡武寧州，至地頭，夢見異人身長九尺，衣冠整肅，言貌棱嶒，椎髻刀簪，赤棍束帶，白王曰：「臣本名高魯，昔輔安陽王爲大將軍，有却敵大功，後爲大臣雒侯所譖，被殺。上帝憐其忠，亦賜一帶江山，管領都統將軍。凡討伐寇賊，及稼穡之事，皆主張爲之，宛然一方福神。今又從明公討平逆虜，寰宇泰和，復還本部，若不告謝是非禮也」。高王怪問雒侯何事相妬，妄生譖端，曰：「幽冥之事不願宣泄」，高王重問，答曰：「安陽王卽金鷄之精，雒侯卽白猿之精，某甲卯石龍之精，鷄猿相合，與龍相剋，故耳。」言訖，泯然不見。高王寤，以語僚佐，喜自吟曰：

美哉交州地，悠悠萬載來。
古賢得接見，方不負靈臺。

又曰：

百粵眞區宇，二漢定山河。
神靈皆佑順，李唐景福多。

從者有曹袞讚高王曰：

越甸山川舊，唐家人物新。
高人聞有氣，動靜告龍神。

又曰：

南國山河勝，龍神觸處靈。❶

此祠遂儼雅尊嚴，世世香燈不絕。

丁未間，西寇跨我中華大灘，土豪有瑤武者，有勇力，率家下相拒。武素通孫吳兵法，能以少制衆，神出鬼沒，莫測兵機。西兵往征之，弗克，與敵敗走。武率家下追殺，斬獲無算，得貨寶器械不可勝數。西人畏之如虎。

及昭統北回，以武有陷北鎮之功，授京北行鎮守爵定嶺侯，鑾駕既北，誓不西臣。累戰而累勝，西人奉金帛禮物，百計邀誘，終不肯後出，其不意竟爲所獲人。或以爲石神後身，未敢以爲深信，然人中有此豪氣，殆亦鍾毓精華厚氣云。

灝氣英靈

應天化育元忠后土地祇元君

報極傳：元君卽南國主大地神也。昔李聖宗南征占城，至環海口，忽被暴風惡雨，波濤洶湧，龍船動搖，欲轉危急，出於不測，帝甚憂懼。徬徨中，帝忽見一女人，約二十年紀上下，容似桃花，眉濃楊柳，眼若曙星，笑如花蕋；身穿白衣綠裙，束帶淡裝，徑來白上曰：「某是南國大地之精，托居于水雲鄉久矣！覰時待發，恰遇良因，幸遘龍顏，生平所願實愜，但願陛下此行敏幹全獲勝謀。妾雖蒲柳輕姿，願充微力，默爲扶佐。凱還之日，妾卽候此拜謁。」言訖不見。

上寤，驚駭且喜，召諸左右，具述夢中所見。僧統惠林生曰：「神言托生于木居水雲鄉，今當求之於木，或有靈驗。」上然之，使從者求諸汀洲岸渚間，得一木頭，甚肖人形，類如舊時裝漆，果符夢中所見。上爲之立號曰：「后土夫人」，命設案置御船中，忽頃間波濤息浪，草樹停搖。及上到占城夾戰，如有神助，是陣果大捷。凱還日，龍船泊舊所，勅令立廟，復起風雨如初。惠林奏曰：「乞請環鉸止京師」，得之，風雨帖然，比至京師，卜地起築祠宇于安朗鄉。稔著奇蹟，有誹謗咒咀者，立見災禍。

迨英宗時，天大旱，群臣請築環丘於南郊祭天，請元君為壇主。元君托夢于上曰：「本部有勾芒神君，善於行雨」，上喜，會議定以后稷配天，后土配地，立壇于南郊，致禱果獲大雨滂沱。上喜，勅下曰：「后土夫人有勾芒神君，乃主春事，今後凡立春禮，土牛得歸納于祠下」重興元年勅封后土神地祇，元君四年，加「元忠」二字，興隆二十一年，加「應天化育」四字。

僭評：

未夢之先，海堧一枯木耳。一日，邀御舶而效靈發。歛風雨，伸縮波濤，裴林邑之武功，起郎鄉之豐祀，為困丘壇主，為后土夫人。究其來因，止稱大地之精，名迹渺茫不可得，而考其事迹，多有不可曉者。而英靈昭著，震慴人寰，凡有祈晴禱雨，立見效驗，其受封享，不亦宜乎？至於鳳詔褒封諸美，字俱穩，惟「元忠」二字未詳何意。

盟主靈應昭感保佑大王

報極傳云：王本是銅鼓山神。（山在清華，俗名巖可峯。）昔李太宗為太子時，太祖命提師討占城，軍至長洲夜宿，夜到三鼓，朦朧中忽有一異人，身長八尺，鬚眉如戟，衣冠儼雅，身披戎服，手持兵器，稽首歛容。奏曰：「某卽銅鼓山主。聞君上南征，不辭艱險，請從王師助靈，可怯服胡蠻，少立微功。」太宗大喜，撫掌許之，驚覺，乃是一夢。是戰果獲大捷。

太宗凱還，具禮致謝，因請迎歸京師，保國護民，遍觀立祠之地，四望京畿外地，未審何方。其吉夜間托夢于上，請卜地于大城內右邊聖壽寺後，曰：「此處淨潔，頗壯觀瞻，詳考其故，蓋有宿因焉！」上從之，起工修築，不日告厥成功。

太祖崩，太宗卽位。是夜，大王先托夢告太宗曰：「三王久懷異志，欲動甲兵，宜早防之，庶免後患。」帝寤，亦未之信。到天明爽，果如夢中所言。太宗大以為驚異，立詔封為天下盟主神，加大王爵。重興元年，勅封靈應大王，四年，加封「昭感」二字，興隆二十一年，加封「保佑」二字。

僭評：

大王以山嶽名神，稟受上帝勅命，威德久聞于天壤之間，不待時君世主褒封，始著靈異也。惟憫人寰溺陷，塵慮不明，苟恝然不屑，指以迷途，則世主終不能悟，故屢托夢告白，路開自新到自時，世主始尊之敬之，立祠祀之，又從而封贈之。不然，名神之在人寰中，何鄉不奉，何人不拜，祝頂禮而獨冥冥默默，徒享人間香火。禍不聞有所報應，只專外飭，其樓臺之壯麗，鎧仗之鮮明，彼儼然□□者，果何爲哉！

廣利聖佑威濟孚應大王

昔高王開大羅城，一日晡次，放步遊觀，至城東門，頃刻間，忽然雲霧大作。見五色祥氣，從地面湧起射上，星斗光芒，精光耀目，寒氣逼人。五色中有僊人騎黃龍，頭戴赤花冠，身穿紫霞衣，羅裳赤舄，婆娑于彩霧之間。異香馥郁，雜奏笙簫，蟠旋宛轉，時上時下，約二刻時辰，倏然而泯。高王驚異，意以爲鬼魅，顯些妖靈，妄求人間祈禳者，亦不怪也。

忽夜間，王方閒坐思睡，夢見一人，依如日間所見光景，前來告王曰：「某乃龍度王氣君也，聞公新開甲第，肇創都城，特來相見，公勿疑也。」高王悟，會議嘆息良久曰：「吾不能爲政，致鬼禍耶？踰其祥耶？其不祥耶？」旁人或啓請立祠塑形像以銅鐵，以壓鎮之。高王從其議，忽然風雨驟至，折木飛沙，發屋掘地，拽出銅鐵，雜碎化成灰塵。

高王怒曰：「吾知其北歸矣！」既而果然。李太宗復建都于此東市，廣開商賈，貿易有無，逼近神祠，甚爲喧鬧，欲移祠于淨地。乃謂古立于此，今不可移。遂興樑棟，率連長街，別開一楹爲祠神所。夜間神卽顯靈，大起北風，揚沙走石，拔盡樹屋，長街俱覆，壓倒于地，獨神祠一楹，宛然屹立如故。太宗異之，究問來由。有識者具奏始末。上聞之喜曰：「是乃主事神也。」詔具禮享奠，詔以新年春祭爲大祈福，例事勅封廣利王。初東市三度失火，暴風延及，皆成灰燼，惟一窟神祠儼然，纖毫不損。重興元年，勅封「聖佑」二字，興隆二十一年，加封「孚應」二字，進大王爵秩，上相太師陳光啓題其廟曰：

昔聞人道大王靈，今日方知鬼魅驚。
火駁三驅燒不盡，風塵一陣扇難傾。
指揮魍魎三千衆，彈壓妖魔百萬兵。
願仗餘威清北寇，頓令宇宙樂昇平。

至今祠宇巍峩，稔著英靈云。

僭評：

子曰：鬼神之爲德，其盛矣乎！當東門雲霧之時，僊人服赤霞，衣黃虬金簡，覩而可見，抑亦山魈海市等耳。迨入高王之夢，而銅鐵不能壓其靈；登李氏之祠，而炎火不能灰其烈，顒昂宇廟，與皇都鉅鹿同尊。於戲盛哉！近代富市阮校討爲庸人撰對聯，有云：

撲斷祝融三度火，
搗殘都護萬斤金。

讀之令人凜凜。

開元威顯隆著忠武大王

唐開元中，廣州刺史盧魚，爲我南交都護，駐安遠村，其村夾龍度慈廉二縣間。見其地坦然，不絕。

旌開元天子之功。次立祠，設土地神像以彰威德焉！其祠命名曰：「遮羅觀」，祈禱輒應，香火

夜夢有白頭翁告曰：「其觀宜名曰：開元觀，其村亦宜名曰：開元村」都護從之，自立碑記，以

平正寬廣，樹木扶疎，後枕于遮羅水，勝槩可觀。因督近府蒞，創立廟宇。中設玄元帝君神位，

僭評：

陳紹隆（聖宗年號）初，沙門文韜重加營造，改爲安養寺。嗣後僧禪雨集，士女雲來，覽勝乘涼，輪蹄滿道。爭奈星移物換，雲往水流，今遷其祠于歸步頭。重興元年，勅封開元威顯大王。四年，加封「隆著」二字，興隆二十一年，加封「忠武」二字。

盧魚一太守爾，而都護南郊。其爲政行令，民皆信愛如家人父子之相親。公暇時，立祠致祭，奉玄元眞帝君，帝君係天上元神，塵俗凡人，未易感格見驗。憑土祇一夢改名，立觀禱祈，從此佑靈。士女環觀，遂稱爲方民勝事。則都護之循良政績，于今槩可想見。又勒石紀功，旌天子之名，擇地安村，定居民之所，身江湖心廊廟，其人未易得焉！

冲天勇烈昭應威信大王

按報極傳、世傳云：王本建初寺土地神降生，昔至誠禪師居於建初寺，在扶董鄉立土地神堂于祠寺門右側。爲念誦淨處，歲月侵尋，間多湮沒，失其舊。桑門禪流，無人可證。土人好鬼，焚香致祝，濫稱淫祠。

多寶禪師重修禪寺，以其祠爲淫祠，欲去毀之。一日於神祠古樹見詩一律，題偈云：

佛法誰能護，柱德住祇園。
若非吾種子，早隨別處遷。

不載金剛部，密跡那羅延。
滿空塵數眾，侍佛成寃愆。

異日，偈後復見神應八句詩云：

佛法慈悲大，威光覆大千。
萬神俱向化，三界盡同旋。
吾師行號令，邪鬼孰敢先。
願常隨受戒，長幼護祇園。

師異之，乃復爲設壇，持戒供用齋素。

李太祖潛龍時，知多寶之高行，相與爲檀越。旣受禪，親幸其寺，禪師迎駕，經寺側，師抗聲問曰：「佛子，爾能從容賀新天子耶？」應聲見樹皮四句曰：

帝德乾坤大，威聲靜八埏。
幽陰蒙惠澤，優渥拜冲天。

太祖覩而誦之，頗知其意，賜號冲天神王。其題自然而沒，上異之。命工塑神像，儀容卓峻。及侍者八軀，裝漆告成，復於大樹下見詩四句題云：

一鉢功德水，隨緣化世間。
光光重照燭，影沒日登山。

師以偈呈奏，太祖不曉所謂。

後李朝八葉禪於陳，鉢與八同一，八如八；惠宗諱昰，所謂日登山也。其神妙如此。重興元年，勅封勇烈大王，四年，加封「昭應」二字，興隆二十一年加封「威信」二字。

僭評：

建初寺今在扶董鄉天王祠旁，沖天神王，即天王睿號。越史載李太祖追封沖天神王，立廟建初寺側，明爲天王事，而此錄以爲土地事。何日錄中數偈，非惟老於翰墨，抑亦邃於藏茹，殆非尋常香火所能伯仲其萬一也。或者德江佳氣，精英之最，鍾爲天王，而神又其爻分歟？若即以土地爲天王，愚不敢信也。

又或謂至誠禪師歿後，英氣不散，常假形于土地神。凡所題詩，皆至誠禪師所偈，觀其淫祠，欲毀而不敢毀。又從而修葺之，而祭禮之，詳玩詩辭，其禪師所作亦未可知也。

俗傳李太祖爲兒戲時，依萬行僧住伊寺，朔望供獻，帝輒取碗先喫。一夕神托夢於禪僧，言每供輒爲皇帝所先嘗，萬行召其徒戒之。帝怒，命筆書于護法像背，有「流遠州」三字。僧於是夕復入夢，見其神來謝曰：「今奉皇帝命，持來道別」，僧醒覺來，遍觀諸像，見護法像有字畫宛然，僧亦知其帝手字也，即命取水洗之。洗畢，其像驀然而倒，後其寺亦不復塑護法像。此說雖屬荒誕，但帝王爲百神之主，土木形體，安敢與日月爭光，理或有之，樹間諸偈，隱隱占古法，樹震文相照應。

景興丙午年間，安廣安興夜雷火焚山，明日樵者見燒殘樹有白書云：「木生李天地位置一人天地人。」樵怪之，白於鎭官，使人驗視，字畫宛然，惟木生李三字，改作未年季。鎭官欲以聞國與亂不果，此亦不知所指，姑錄之留驗。

傘圓佑聖匡國顯應大王

按曾公交趾記：「王山精，與水精相友。善隱居峯州嘉寧洞。雄王有女曰媚娘，容貌絕倫，隱約有傾城姿色。蜀上泮遣使求婚，雄王將許之，大臣雒侯不可曰：「彼覘我國耳」。雄王恐其構隙，雒侯曰：「大王地廣民衆，求有奇才異術者，許之爲婿，先設奇兵以待，不足憂也。」雄王遂與蜀絕，遍求國內有異術者，王與水精俱應選。

雄王命試之，王能透玉石，水精能入水火，並著靈通。雄王大喜，謂雒侯曰：「二郎皆可配，吾惟一女，如兩賢何？」雒侯曰：「王宜與約，先娶者得」，雄王然之。各遣還備禮，王還部，連夜促辦土物金銀，玉女犀象，及諸珍禽奇獸，各百枚。

次日早刻，遞獻雄王，王大喜，許以媚娘妻焉！王迎歸宿于雷山。比暮，水精亦備水物，珍珠玳瑁，寶貝珊瑚，及鯨鯢好魚，亦各數百枚，詣闕陳獻。見媚娘已歸于王，水精大怒，率衆追之，欲碎雷山。王徙居傘圓絕嶺，遂世與水精爲讐。每歲引秋水進擊傘圓山，民相率築柵以爲助。水精不能犯，靈蹟甚多，不能具述。重興元年，勅封佑聖王，四年，加封「匡國」二字，又勅封加「顯應」二字。

僭評：

此記摭怪較詳，而田池陵廟諸約文字最古。按我國地脉，自小崑崙而來，分作三條龍支，中支爲三島山，左支爲鬼門山。傘圓其右支也。

此地自傘峯起祖，其高逼雲漢，其形如帕蓋，尖聳秀麗，爲我國第一名山。迤邐盤桓，至昇龍城，爲大陽繞，南入愛州，鍾結帝王，大地放而之南海，不可量度，高明悠久，博厚廣大。其英爽之氣，凝爲國主神，舊記所傳，及高王風水稿言，欲以術壓之，見山神躍馬空中，唾化而去，其靈異不可名狀，惟山水相仇，殊屬怪誕，安有千萬年前以一媚娘之故。

每到年年秋月，引魚龍水族，與犀象鬭。山居者，必待編籬築柵，然後能避其害哉！今觀秋夏之交，驟雨暴注，漫山塞峒，勢若滔天。山民好鬼神，以虛傳虛，遂信以爲實事，雖水神誠多顯異，而謂水火相爭，愚不敢信也。

祠祀至皇黎朝祀典最爲隆，列爲四不死，第一沿山，復戶兒民十三社，接近明義不拔。三農諸縣，以時修葺宸宮，虎豹犀象，動以千群而應役。丁民單行露宿，毫無侵犯。雲霧舒放，草樹岑鬱，山椒白石一叢，可望而不可卽。噫！此山其明都之泰華，其盛朝之文筆峰歟。

開天鎭國忠輔佐翊大王

按杜善史記：王本藤州土地神。黎臥朝爲開明王時，食邑于藤。常至其鄉，舟行遊覽，忽然白日昏晦，雲氣陰霾，風雨暴至。求泊避之處，見岑上神祠，問村人曰：「此何神祠？」村人對曰：「此藤州古土地神祠」，曰：「有靈乎？」對曰：「此一州倚賴，禱雨祈晴，立見靈應。」王因高聲喝曰：「果如有靈若是，能却得風雨，今這邊雨，那邊晴，方信其有靈驗。」言訖，果然一半江風，一半江雨。

王獲免濕衣裳，大異之，令重修祠宇，時人爲之歌咏。歌曰：

美哉大王威靈重，藤州土地賴安寧。
却教風雨無侵犯，那邊滂沛那邊晴。

王聞之，陰自負，天福帝崩，中宗卽位，弟龍鋌謀大事，詣祠祈夢，夢中見有異人吟曰：

要勝克勝，要成克成。
方民皆順服，邦家享太平。
五年中樂業，七廟自安靈。
此時觀彼理，天際望鵬程。

旣寤未曉其意，决志弑逆。旣得，位升藤州，爲太平府封開天城隍大王。重興元年勅封開天鎭國城隍大王，四年加封「忠輔」二字，興隆二十一年，加「佐翊」二字。

藤谿內外，黎亮采有詩曰：

乾坤肇創大功成，壯見神州輔翊名。
地孕心胸懷正直，天鍾耳目透聰明。
卓哉武烈千神服，粲若文華百鬼驚。
威凛雷霆公恤意，飄揚瑞氣播英聲。

僭評：

當颶風飄蕩之時，而能使半江風雨半江晴霽，嘖嘖靈異。但以臥朝之凶悖，享祚不長，而爲之助順効靈，吟詩托夢。雖五年之顯示，微辭見於彼理之句，而所謂諸方順服，七廟安靈，毋乃舖張太過歟！

西山時謀大舉南寇，舟從巴辣海口入，嘗爲逆風所阻，僞都督文琓，備厚禮，祈趙武帝唐琛祠，得一陣順風。後接近人，夢見祠中神會貞定，諸神與唐琛神交戰云：「伊北人生爲我國主，沒爲我國神，今又助桀爲虐，藤州頃國，其亦異乎？洞中神之撰歟！」祠廟今在大江岸，累朝崇祀，棟宇峻峙，邑人享祀豐潔，行人過者，凛然起敬云。

忠翊武輔威顯王

按趙公交州記：王本土令長也。唐永徽中，李常明爲交州都督，見其地平坦千里，江山襟帶，於白藤三岐接白鶴三岐，建通靈觀。置三清像，别開前二廟，命工塑護國神像。像成，具禮焚香祝曰：「此間神祇如有靈異者，早報入夢，如塑像形狀，方慰愚衷。」是夜，見兩異人，鬚眉如畫，姿容俊雅，徒屬至數十人，各持旌節旗鼓，簫管笙鏞，相呵相唆，趨步寬閒，爭居前廟。叩問其名姓，一稱土令，一稱石卿。常明請二人各試法術，勝者居前。石卿應聲跳躍，一步到那江邊，已見土令長先在那江邊；石卿再跳一步，復到這江邊，又已見土令長先在這江邊。於是土令遂得居前焉。

土俗尚鬼，見神像威嚴，心皆敬畏。凡悔吝憂疑之事，皆就祠祈叩，懇乞環珓，悉見靈應，爲一方福神，香火不絕。歷朝將帥奉命征討三江上流逆命者，皆具儀仗軍容，詣祠拜謁，多獲陰扶默相。重興元年，勅封忠翊王。四年，加封「武輔」二字，興隆二十一年，加封「威顯」二字。

擬翰林院侍讀學士阮士回陪駕西征，哀牢隨軍，具禮拜謁，有詩云：

龜符魚印掛腰間，茲事希求付將官。
薄劣書生無望處，秖來祠下乞平安。

侍讀學士王成務陪駕西征，夷獠凱還命賽神，有詩云：

貔貅十萬展王靈，勢壓雲南塞外城。
江左區區何足慕，風聲鶴淚怖秦兵。

僭評：

白鶴三支，當洮瀘江之交，青紅兩派，交涯大黃，江山明媚，風景如畫。江岸有巡爲舟筏商賣，大都會之處。每年秋末冬初，鸚鵡爲食物珍品上流，要會如山圍之程，舍、富安，青波之婺棣、武偃，罕與爲比。

土令今爲白鶴社神，石卿今爲芝葛社神。累蒙封贈，香火不絕。沿江諸社亦多祀之，抑或山奇水秀，鍾爲名神，屹然爲三清之庇、兩學士之詩，同垂不朽。

景盛年間，傘圓山祠丞夜夢見神告以來日當有異人入謁。可灑掃灑掃，務使光潔。既覺，掃除整肅。到日中，見數十人，內惟有一人爲長，年可四十餘，具牲禮密祝。畢，祠丞出拜，具道前夢，乞爲門下，委質相從。因跟其人入山，所至皆有田疇廬舍。行至數日，皆如之。至第三日，其人召祠丞謂曰：「不勞遠涉，第回但有白鶴三岐豎大黑旗，卽來自會我，不汝忘也」，祠丞拜謝而回。

皇朝嘉隆戊辰年間，鳥形如燕雀者，以千百計。自下流至白鶴江三岐，站站墜水，如是者三五日，墜鳥堆積，江面鎭官，以其事轉奏，幷以其鳥獻，終亦無能識鳥名者。

善護靈應彰武國公

按本傳：公本守國觀福神。昔我越內屬於唐，南詔入寇，陷沒郡邑，逐唐都護，分兵屯守，國人告急於唐。懿宗遣張謀爲將，領兵五萬討之。張謀知蠻兵充斥，逼於逗遛不敢進，懿宗怒命高駢代之。駢知白鶴海道有蠻兵阻守，乃造浮囊船千艘，跨海直入海靑及大小鴉二海口。既至，乃幷交州行鎭于茲地，駢喜道術，既建鎭，奠酒設地，祈求陰相。夜三更，忽聞空中有神語曰：「若要成官事，須索道德，因能使皆復至，逆黨悉來賓。」駢大喜，遂建道宮，置爲都護宮，左土地官，建祠堂于宮側，擬守護爲壯觀。後人祀爲福神。重興元年，勅封善護國公，四年，加封「靈應」二字，興隆二十一年加封「彰武」二字。

僭評：

神視之不見，聽之不聞，此夜間之夢，空中之語，見乎？隱乎？曰：「變化不測之謂神，」是殆不可以智術窺以形迹泥也。兵家多托鬼神以惑衆，高都護行兵，大抵效田單之故智。祠觀之尊，香火之奉，歲月積久，自有英靈。誠能感格神，式憑之，歷考古今諸祠，多類此者。

利濟靈通惠信王

世傳：王乃火龍精君，昔有洪州橋捍人，姓鄧氏，兄曰泱明，弟曰善射。二人以捕魚爲業，時常入海求魚。遇一異物，若片木狀，長三尺許，色如鳥卵，隨潮水上流，二人接取攜歸。至夜，忽聞其中有聲，彷彿如笙簧人響，欲語不語者。二人驚怪，放之流中，到別舟借宿。夜深睡熟，夢見一人謂曰：「汝兄弟不知，特來相告，我南海龍王妃，誤與火龍交，所生子，恐東海君知覺，故以夢相語，此木已隨舟邊」二人異之，遂載以歸。至安記安甲拜地，木忽從舟中跳泊原上，二人意欲留之，乞環玟，果得。乃立祠宇，命木工刻爲像，奉之如神，號曰龍君。

後朝廷遣侍臣募人入海求珠，獨鄧氏子孫所得甚多。侍臣問其故，鄧氏具以其事告。侍臣回奏，上命具儀衞音樂迎之，乃大獲，因賜號神珠龍王。重興元年，勅封「利濟龍王」，四年加「靈通」二字，興隆二十一年，加勅封「惠信」二字，愈著靈應焉。

僭評：

百神之中，惟水神最爲靈異。興雲作雨，穿岸移堤，或時入山林，搬運木石，結筏而行，宛若人爲，何也？曰：陰主靜，山致其高，雲霧興焉！水致其深，蛟龍生焉！水陰中之陽，外暗內明，人見之而不可測，故其神靜而靈。觀火龍之事，尤爲怪誕，然凡水神事多類此，姑錄以備覽。

【校勘記】

❶ 原稿以下脱一頁。

續越甸幽靈集錄

國子監司業阮文賢銳軒增補

朔天王

按禪宛集英書：黎大行皇帝時，匡越太師吳氏，常遊平虜郡衞靈山，觀玩風水，悅其景致幽勝，欲創祠庵居之。夜夢有神人身被金甲，左執金鎗，右擎寶塔，從者十餘人，其狀貌古陋可怖，前來謂曰：「吾卽毗沙門天王，從者皆夜叉也。天帝有勑令，往此國土，護此下民，於汝有緣，故來相托」。師驚怖，聞山中有呵喝聲，心甚惡心。

及旦，入山見一大木，幹枝蕃茂，又有瑞雲瘖其上，因命工剪伐取之，果符夢中所見。刻像立祠。天福元年，宋兵入寇，帝素聞其事，命師就祠祈禱。

時宋兵駐西結村內，兩軍未接，宋兵自相驚駭，退保支江，又遇風波震蕩，蛟蛇騰踴，衆皆驚潰。宋將郭達班師北回，帝爲增立祠宇奉之。或有曰：「故老相傳不記何世」，天王生於某村人，方在襁褓，國內有賊，使者遍募能破賊者，厚加封爵。天王起問，母告之故，天王曰：「且多取飯來與兒食」，須臾食盡數斛，不數月，長十餘丈，自出應募，使者皆與至京師，王大喜，問其所願，卽請長劍一口，鐵馬一匹。

既至，躍馬大呼，衝入賊陣，盡血賊徒，宇宙爲之肅清。天王乃乘馬至於衞靈山，登榕樹沖天。今遺衣跡尚在。今村人猶呼爲易服樹。國人異之，立祠。設奠用茶餅齋素而已。人有懇求，皆應，李朝欲便祈禱，創祠于西湖之杲鄉以奉祀之。今爲福神，載在祀典。

僭評：

衞靈山乃董天王升天之處，荷學士詠詩，即此傳中所載。與越史差異，史明著雄王六世，而此言不記何世。史明著扶董鄉，而此言某村人。記事家涉獵多類此，摭怪記此較詳，其左鎗右塔，自號毗沙，頗異冲天本色。

惟降世而鏖殷寇，顯聖而却宋兵，有功德於民。此稱莫鉅，其所以享千百世，齋儀之奉冠最靈，而列不死，豈偶然哉！扶董廟寺第一勝，董明員州四大邑，歲時奉祀，極爲恭恪。遞年四月初九日，會爲北江，極逘衞靈山林麓，凡九，總每大會例，鎧仗用金鐵，宛然官仗，多會鬪以象武功，杲鄉祠又爲畿甸壯觀，春首一方都會，洋濯厥靈，九玄歆顧，靜氛埃而回泰宇，泉清山靜，我越奠盤石泰山之勢，安非顯相賴天王之力歟！

青山大王

三島乃我越名山也。環亙北方，延袤千里。李陳時，舊有祀典，而名號未彰，遭兵火廢沒。黎朝仁宗皇帝己巳庚午年間，歲大旱，遍禱百神，不見雨。朝廷廷議，三島乃名山，而祀屬缺典，今宜致禮祭，以祈玄佑。上命文臣撰文，封爲青山大王。肇祀禱雨，其日油然雲起，四野晦冥。翌日，甘雨大澍，歲復登稔，後有雨旱，禱之皆應，爲一方福神，載在祀典。

僭評：

三島當我國之乾亥，爲天南地脉之中支。三嶺嶰峙，高出雲漢，故名山神。名號未詳，惟山麓故有國母祠陰神也。

陳元捍傳：陳公乃興道大王之後，屋立石上，山東微時，以賣油爲業，轉歸三宿，至祠日暮，寄宿于祠所。夜深未睡，聞祠外有喚聲云：「天庭旨召百神，夫人可同來朝見。」祠內答云：「有人寄宿，不可遠行，諸神第往，有事還以告。」公異之，輾轉延佇，四更末復見喚聲。「夫人醒否？」祠內有人出相語，稱：「天庭今有二事件：一保舉藍山洞黎利爲安南國王，蕊溪阮廌爲輔。一山南下路有一邑宰牛禱雨，屠刀爲牛屎所蔽，搜尋弗獲，儆言：『豈有最靈神來賴我物耶？』定罰三歲大旱」，言訖別去。公聽得詳，往過山南下路，求其邑，果得刀於牛屎處。伊邑田疇龜坼，公出刀語以故，邑人懼而悔謝，尋得雨。公以此事旣驗，遂往藍山遇太祖于山峝，委質臣服有功，封開國功臣，後爲山東福神。因此，國母祠以靈異稱，香火不絕，廟貌莊嚴，不知此係山神別有稱號，而此爲陰神。姑錄以備考。

乾海門祠

夫人姓趙，南宋公主。母子三人，夫人其季女也。陳仁宗紹寶元年，張弘範襲宋師于崖山，宋師大潰，左丞相陸秀夫抱帝昺溺海。宗室官軍赴海者十餘萬人，夫人母子三人援船檣，飄至海崖佛寺，僧憐而收養。

數月，膚體復完，容貌秀麗，僧欲私之，夫人拒之甚嚴，僧自愧投海死。母子三人相哭曰：「吾母子賴僧而生，僧爲吾母子而死，於心安乎？」亦同赴海死。飄至我國演州之乾海。玉色如生。土人異之，爲之窆葬，後果見靈異，立祠奉之，凡海船波浪危迫，禱之輒濟，海口隨處立祠，無不靈應。

僭評：

當六飛沓靄之秋，山河水絮，身世風萍，寄活於苾芻之淨境。生我者，僧之恩；私我者，僧之罪。因人以生，不忍使人獨死，夫人之志亦可悲哉！幽憤之志，鳴風雨而泣波濤；貞烈之懷，貫金石而橫宇宙。極顛危之舟楫，孚瞻仰之旌旗，陰中著異祈禱，効靈海口，靈祠英聲洋溢，訛傳見於野史俗記者，豈足爲白璧微瑕也耶？

重補越甸幽靈集錄

事事齊吳甲豆重補

英靈正氣

段將軍

將軍名尙，長津洪市人。李惠宗同乳子。被命捕盜，倒入洪州。李亡，晝州自守。陳太師守度陽，與之和徵懷道。孝武王阮嫩陰以重兵襲之，戰方酣，陳師自文江邀其前將軍，捨嫩西向，爲刀双所傷，頭不絕者，僅一綫，解帶束之，怒氣勃勃。馳馬而東，至安仁，遇冠帶一老叟，自拱手道：「左曰將軍忠烈義氣，上帝簡之矣。」指旁邑一邱曰：「此血食地也，幸無忽。」將軍許諾，抵其地，下馬枕戈而臥，百蟲啣土葬之，民村爲像奉祀。珥河決，廟圮，水落，像見於安仁。

安仁構新廟奉之。廟據東北要路，威靈烜赫，商旅往來，不下笠俯首者，立見損害。一日，廟祝卒仆地，移時躍踞高坐，集諸父老曰：「明日當灑掃淨潔，備乘輿臨幸，緇服而徒行者是也。盍伺之」，衆皆唯唯。翌早，冠服候祠下。日向夕，倦欲散去，忽一僧曳六銖衣，從一童過橋憩祠前，徑過門閫，邑人焚香羅拜，怪問之，邑人以神語奏。

時仁宗遜位，稱調御大王出家，安子山，一瓶一鉢，往來村廓間，多不爲俗人所見識。是夕，卓錫安仁得其故，嘉之留一宿，開示因果，勉令體好生德，早發回京師。次夕，大雷雨神坐移，東向行旅，始得往來無恙。勑旨累封上等神，長津故壘今存。

僭評：

將軍以故國之親，君李讐陳，不共天壤，在周爲頑民，在商爲忠臣，憤烈之死，雖死猶生，正所謂解帶束頭者也。老叟指邱，百蟲啣土，意邑人指其處，故以神異之歟？見像於安仁，表夢於耆老，悟調御之降臨，移神坐於東向，自是百年香火，好結因緣，東北馬頭廟，貌壯麗。過客爲之下馬，優人爲之避諱，天之厚於忠義，爲何如哉？

清錦廟靈神

壽昌縣東閣坊清錦廟，奉故莫烈士某公。公姓名失考，舉莫氏進士，官至臺省。時鄭哲王義師東下，莫棄城北遁，王麾兵追躡，事既，迫公錦袍金帶由太極湖畔出，東閣街前叩王馬。王鳴金小憩，集諸將議斬之。鼓行而前，莫主已濟江矣。義師西，莫後據東京，即其地建廟。橫踞通衢，香火不絕。仁王時命去之，廟下有塚貍首，宛然環一奇兵，拽之矻然，不可轉動，廟遂不毀。

僭評：

鄭師乘勝，莫主宵奔，以一個青衫，從容袍帶，奮勇當矢石之衝，以爲緩兵之計。哀哉此心，其稽侍中李侍郎之心歟？廟塚如故，而姓氏失傳，謂何史氏多缺略也哉。

興道大王

王姓陳，名國峻，太宗兄安生兄，柳之子也。封興道大王。安生與太宗有隙。臨終執王手曰：「汝不能爲我得天下，吾不瞑目。」王深念之，舉動惟謹。重興間，兩退元兵，爲當時武功第一。

及卒，立廟祀之，有寇至，取祀匣劍，必大捷。治犯顏病驗（犯顏廟在東潮縣安排社涼江）世傳顏姓阮，字伯靈，父廣東商客，母我國安排人。登元進士，善符水，常潛入後宮捉獲，將殺之。會元侵我，請嚮道贖罪。元許焉，戰於白藤江，為王所俘，刑于其母之貫，投其首于江，有兩網者屢得其顱。祝之曰：「如有靈，護我倍，多得江魚，當為扦葬。」是日，果得魚倍數，遂於岸上葬之。網者常邀與遊，久遂慣習，常戲指婦人，令挑之，無不即驗。相與立廟祀之焉。

先是伯靈將刑，請於王曰：「當許他何食？」王怒謂曰：「許汝食產婦血。」後遂遍行國中，遇產婦卽躡之，其人卽纏綿臥病，醫不療。病家禱于王祠，取祠中舊席，出其不意，使病人臥，及香株燒灰調服，無不立愈。有携席纔入其家，而病人已愈者。其英靈奇驗，多有類此。

僭評：

王以東阿之胄，受安王之囑，而不從亂命於家為孝子。遭重興之變而迄定大功。於國為忠臣，惟忠惟孝，克蓋前人之愆。功蓋天下，位極人臣，名震華夷，身後萬世血食。陳朝將相多為名神，如國鎮之於至靈，克終之於立石。國殿之於先豐，而竟不如王之卓卓，其忠孝之報歟？蒙古倔起，朔方呑靈夏，威彊金，覆亘宋，弓弦所嚮，山海諸外國，望風奔潰。擁衆而南，山摧川陸，風駭雲流。王獨以殘卒當之，何異泰山壓卵，而白藤一鼓，僵尸千里，豈非宇宙間大曠事。非但有大功於陳，抑亦有功於天下，後世微興道南交其被髮矣乎！

王廟今在鳳眼至靈之界，萬刼蘭山二社同奉事。其地近古拋，矗矗千岩萬壑，廟在山腰，左右有南曹北斗二峯。面任佑江，草木岑鬱，遠望之，豁然如蓬萊之勝。遠近往祈禱者，道路如織，廟祝二人，一萬刼人稱北祝，從北路來者主之，一蘭山人，稱東祝，從東路來者主之，而一歲客俸，東北略相當，其靈異類此。

附：按雜書及太平廣記稱中國有狐祟，最為婦女患。我國無有此祟，惟有范顏症。遭此症者，禱于王祠，多奇驗，事有相畏，不可以形迹泥也。

徐道行大聖事跡實錄

昔道行姓徐，諱路。其父榮以釋爲教宗，仕李朝，至僧官都祭。昔常遊於安朗鄉，娶曾氏女，名鸞。宅居于安朗之鄉，廊南笘處，得陽宅之貴地，稟生道行，有儻風道骨焉。少時遊蕩，倜儻有大志。舉動容止，人莫能測，嘗與儒者費生、道士黎全義、伶人潘乙相與爲友。夜則勤苦讀書，日則舉球弄笛賭博爲樂，父嘗責其荒怠。一夕潛窺房內，見殘燈如豆，簡編堆積道行，據案而睡，手不釋卷；由是不復爲慮。

後應試白蓮科中第一，不樂仕進，日夜思復父讐。父原於前日以妙術干延成侯，侯之家有大顚法師，以符壓殺，放屍於蘇瀝江，流至西楊橋，延成侯家處其屍，止於此。引日不去，侯懼，馳報于顚。顚至偶云：「僧恨不滿宿，且生乃遊戲之場，死成菩提之道。」屍應聲而去，至仁睦舊社、含蟻處而止。人見其有靈異，伊社建立陵廟，塑像而奉事焉。

遞年正月初十日忌。時母葬在上安社巴陵寺，即今花陵寺，奉事聖父聖母二位。道行志思報讐，計無所出。一日，伺大顚出，將行法術，遂以杖打大顚，俄聞空中有聲叱止之，道行遂放仗歸家，悲思怨恨，欲往西天印度學求異術，以抗大顚。即與明空覺海偕往焉。

至齒蠻國，道途險阻欲還，見一老翁，乘一小艇閒遊江上，共就問之曰：「到西天凡幾度？」老應曰：「山路險阻，步不可行，老有小舟，堪爲助濟，又有一小杖，直指西國而來，不遠矣。」老卽許之，有一偈云：

道理當然路共行，多公遠學志成名。

汪洋萬派何勞涉，指日黃江覩聖生。

讀偈畢，舉目間，須臾已到西天，岸上多有神通靈法，道行守船。覺海明空登岸學得靈法，卽自先回。道行守船三日，不見二友音耗，自然遇一老婆至江邊，卽揖問曰：「老娘曾見有求道二人來否？」老婆答曰：「二子已受我敎靈法得道返回了。」道行乃拜，具言三人同行之故，切以相捨爲感，老婆聞言，卽使道行擡二樓水回家。我竟爲你授些靈法，幷許縮地眞乘，及陀尼咒。

道行自嫌二友失約，乃誦咒，明空覺海行至半路，被咒痛心難忍，道行縮地奪路，而前隱於慈廉縣艾林社叢中。化虎形，呼嗽數聲，遍岸俱爲驚動，二友相顧駭愕，外雖見怪，其內已得靈術，卓有聰明，辨別虛實。知其果爲道行所化，相顧謂曰：「汝欲知此身後身，居，吾與語。」道行因謂曰：「我等同受世尊道菓，既圓後，身復出世間，在人主位，生來病債，定決難逃。汝等有緣願來相救」於是釋盡舊憤，同傳僊法，履水騰空，降龍伏虎，升天縮地，萬怪千奇，出鬼入神，莫測其妙。乃讓道行爲兄，明空爲兄次，覺海爲弟。此處今號豹橋是也。

明空覺海辭回膠水寺，道行居于石室山天福寺修鍊焉。前有雙古松，人號爲龍樹，道行日常專持大悲心陀尼咒，滿億萬千遍，落下一枝，宣咒畢，雙樹皆空，想其觀世音已來，應護加持，咒力透至天堂。一日，見神人來前，足不踏地，問曰：「是何神者？」其神曰：「弟子卽四鎭天王，感師持經功德，故來相候，以備指使。」道行自知其六智已通圓，父讐可復，遂還居安朗故鄉。身至蘇瀝江安決橋，放杖子于水上。杖子忽立水面，逆行如飛，至西揚橋乃止。師喜曰：「吾法勝大顛矣。」直至顛所，顛見謂曰：「汝不記前日事耶？」道行仰視空中，寂無所覩，因毆擊之。顛死，再放于蘇瀝，以報舊讐。既雪，俗慮頓清，再遍往叢林訪求印訣，聞高智玄於太平化道，躬往參謁，具白眞心。有偈云：

久厄凡塵未識金，不知何處是真心。
願乘指敎開方便，擬伺菩提斷苦尋。

智玄以偈答云：

秘訣真傳值萬金，箇中滿目是禪心。
河沙境界應休話，不必菩提隔萬尋。

徐公茫然不契，遂之法雲寺崇範會，從容問曰：「如何便是眞心？」道行豁然自悟，遂復還歸，石室山天福寺修道煉法如初。自是法力愈加，禪心愈熟，能使山禽野獸群來馴繞，凡諸方民有疾者，飛符走籙，其法立驗。以道濟人，人皆被其澤。

時李仁宗無嗣，祈禱不驗，皇帝崇賢侯延道行適家，與語祈嗣事。徐公願托胎以謝其德。那時夫人沐浴於後堂，忽見道行現於箭水中，夫人懼以告侯，侯素知其意，密謂夫人曰：「箭水見形，是眞人已入胎宮，愼勿驚疑。」夫人意感有娠，徐公乃謝歸焉。囑曰：「臨盆時必來告我。」至胎期滿足，夫人感動，臨產甚難。侯曰：「可速報高僧徐公。」見報至，乃謂其徒曰：「夙因未了，可暫出爲人間子，國王壽終，又爲三十三大天主。若見眞身殞壞，則我方入泥洹不在生滅矣。」門人聞之，無不感泣，徐說偈云：

深秋不報鴈來歸，易使人間動發悲。
著跡時人休戀意，古師幾度作今師。

言訖登于峝僊，叩頭石壁，擲足石盤，儼然尸解而化。于今印跡猶存焉。

是年丙申會祥大慶三年春三月初七日也。道行涅槃，出世爲崇賢侯之子，不煩養育而益長，不勞教訓而聰明，顏色秀麗，才辨無比。帝詔入宮中教養，册封爲皇子。

仁宗崩，帝卽位，是爲神宗。至丙辰年，帝春秋二十有一，自身化毛甲，尋變虎形，四方名師療之，弗瘉。明空覺海聞帝得奇疾，果驗前言，乃自述歌謠，教兒童誦歌曰：「欲安天子疾，須求阮明空。」於是依童謠至膠水寺謁曰：「今天子得奇疾，朝廷遣使往迎，以療帝疾」，二僧遂以小堝煮飯，告之曰：「貧衲些小餐飯，諸軍暫吃」，官軍食之皆飽，不能窮盡。

僧與使者下船。明空告曰：「諸軍姑暫休息，待至潮漲始至京師。」於是船中諸官，各皆熟睡，二僧行法船行，不用維楫，馳疾如箭，談笑間，倏忽已到東津岸上。二僧急喚衆人醒起，則已望見報天塔矣。官軍等皆爲驚服，於是迎二僧入殿庭內。

時天下諸師望見二僧，形容古怪，衣服醜陋，蔑然不以爲意。舉坐不起，二僧遂探囊中取一鐵釘，長倣五寸，頂于殿柱，以手撫之，釘隨沒入，告曰：「能拔此釘者，療得帝疾。」如是再三，莫能應者。明空以左手兩指拔之，釘隨手而出，人人望見，莫不服其妙法。公乃命取一大鼎水，油十二甕，鐵釘一百件，槐木一枝，使護帝駕至火壇。明空讓覺海發火煮鼎，焰火盛發。鼎油熱沸，乃用手捫于鼎內取釘，足一百件。覺海又讓明空行法，以槐木一枝浸入水油，遍灑帝身。咒曰：「貴爲天子可感疾乎？」自是毛髮爪牙盡落，復居帝位如初。

及帝升遐之後，天福寺靈氣異常，見者皆爲震懼，以其事奏聞，嗣王特遣詣祭，尊封美字爲上等最靈祠。其尸解於山峒中，鄉人以其靈異，納其尸于龕中，奉事之。至明永樂年間，使往伊處，忽聞香氣馥郁，如沉檀異氣，覓之，見龕中眞身，宛在玉色如生，以爲僊人幻蛻，遂迎于香山寺，行法火葬，不能侵入，已經七宵晝，依然不變。

明人無可奈何，將欲停罷，夜夢一人告曰：「我歷李陳至今，眞身不朽，奇靈妙法，豈出偶然。汝心如欲乞靈，應取新木墓柵焚之，方可。」明人依夢行之，果驗。遂取燒餘塑像，納于龕中，奉祀於天福寺之左。

迨黎聖宗時，光淑皇太后命太尉貞國公就祠龕具禮祈祀，其疏文云：

朕聞 佛本慈悲，亦是止於至善，故闡教西方，霑化東土；補王道之不足，布聖教以弘施，福被群生，恩覃四海。

朕受

皇天眷命，保有洪基，慮其負荷之弗堪，恐有災殃之間。為此一心怵惕，只思壽國康民，故茲寸念虔誠，只是祈

天永命。恭聞

佛跡山寺，素有靈應，稔在聞知，特遣衛武官奉齋誠前詣梵宮。懇祈壽考，縱不能如商太戊，百有餘齡，亦得如清高宗八十九歲。再祈 慈闈聖壽 無疆，黎庶安恬有慶，子孫賢孝，臣僕忠貞，外絕烟塵，內安袵席，是賴我

佛之賜，尚可言哉。

附供綿爛袈裟一領

明命二十一年六月二十一日

致禮宣文畢，忽有飛石之祥，太后心中有感，結成胎孕，誕生憲宗皇帝。自是國禱民祈，稔著靈異，効應千秋，香火祠宇森嚴焉（以下闕評）

平江府唐安縣丹鑾社神祠記

謹按：平江府在李陳爲洪路黎朝分爲上洪、唐安，古與唐豪爲一中間、分其西北爲唐豪，而唐安則仍舊。丹鑾古爲丹輪、嘉隆初改稱丹鑾。

靈彰靈應大王暨

自然芳蓉公主，丹輪之福神也。神姓趙，名昌。唐時爲南安都護，常車駕巡遊轄內，至唐安之明倫（嘉隆初改稱明鑾）愛其山奇水秀，土廣人稠，有乘涼之處，有駐蹕之亭，天然景致，賞玩留連，因建學舍于邑居之，北以爲東郊鄉校。

由是東方之民，英俊髦士，咸來肄業。居民俱被禮義之教，遠方聞之，珠履齊集，學徒雲擁，所居成聚。 初稱讀村後別爲丹輪社。入其門者，多有成達顯宦。王歿後，士民號泣思慕，乃於學舍遺址築祠，奉王及其夫人爲神。凡有祈禱，稔著顯應，累朝加封：

保佑扶運，翊聖匡濟，正順揚武威勇，厚德至仁，大王嘉行，貞淑慈惠公主。

謹按：前黎光紹以後，後黎弘定以前，東土兵火荐臻，神號僅存，而典故散逸，靡從考正。至黎朝敬宗弘定十年己酉二月初五日，爲國家恢復，加封：

衍福垂休大王　嶶柔懿恭公主。

至弘定十四年癸丑九月二十日有默扶顯應，加封：

肇謀佐辟大王　純美公主。

至神宗永祚二年庚申正月二十日，爲國家恢復車書混一，加封：

剛正雄略大王　　貞潔惠和公主。

至永祚六年甲申十二月二十一日爲默扶恢復，加封：

普化大王　　端莊公主

謹按：永祚五年五月，帥府平安王庶子，萬郡公鄭椿以莫孽遺腹作亂，平安王薨于青威之青春館，册謚成祖哲王。神宗回鑾，清華高平莫敬寬復據土塊。八月，平安王子清國公收復京城，乘輿反正，册封元帥，清都王後謚文祖毅王。

逮至永祚八年丙寅三月十四日，莫孽投降，有佑國之功，加封：

綏祿弘休大王　　忠肅恭懿公主。

至德隆四年壬申三月二十九日爲建立世子，加封：

雄才偉略大王　　端容公主

謹按：是年帥府清王世子鄭橋追封，節制太尉崇國公，後竟早歿，至陽和三年丁丑三月二十七日爲稔著靈應，佑國有加，加封：

贊治護國大王　　貞善神照公主。

迨陽和五年己卯八月二十九日爲罪人斯得，國勢奠安，加封：

孚慶普澤大王　　謹節柔懿公主。

謹按：是年高平莫氏，庶子變服，稱明使南來，直入帥府，將爲內變，既而伏誅，至於陽和八年壬午十一月二十八日爲收復舊疆，加封：

妙輝保國祐大王　　惠和僊妃公主。

至眞宗皇帝福泰三年乙酉七月十七，爲茂增王爵，加封：

至仁洪量大王　貞淑公主。

謹按：是年帥府淸王子西國公，以節制開封五月，淸王感疾，庶子扶郡公鄭欅、華郡公鄭椊作亂，俘獲正法。未幾，淸王疾瘳，至福泰七年己丑二月二十八日爲誕生皇子，加封：

施惠普恩惠澤大王　貞行純淑貞潔公主

至神宗淵皇帝復位，慶德四年丙申二月二十九日爲王府欽蒙天朝，晉封副國公，加封：

聰明彊毅勇斷大王　資質恬靜玄默公主

謹按：是年明永曆帝播遷于廣西之南寧差官封安南國輔政。鄭柮爲安南副國公，至永壽三年庚子十一月二十七日有驩陲奏捷，加封：

至德丕休大王　至德純一公主。

至玄宗穆皇帝景治八年，庚戌四月十八日，勦除莫孽，一舉成功。加封：

垂憲保佑大王　慈和顯休公主

謹按：景治五年，進征高平，莫敬宇奔入內地。六年凱還告廟，至是登秩百神。至嘉宗美皇帝，陽德三年甲寅七月二十九日有相助皇圖保安王業之功，加封：

耿光休烈大王　容儀窈窕公主。

至昭宗章皇帝正和四年，癸亥閏六月二十四日爲勳王嗣位加封：

裕謀延禧大王　工則謹恪公主。

謹按：正和三年帥府，西王薨。册謚弘祖陽王子，安南王總政。迨裕宗和皇帝永盛六年，庚寅八月初十日爲嗣王，進封王位登秩，百神加封：

集福孚感大王　孝敬妙感公主。

謹按：永盛五年，帥府定王甍，册謚昭祖康王，孫安都王總政。至于昏德公永慶二年，庚戌十二月初十日爲皇家受禪，王府進封，一體加封：

慈民愛物，大度洪謨，超前冠古大王。

端嚴肅穆，慈行美德，柔和粹美公主。

謹按：裕宗保泰十年，禪位于皇太子，改元永慶元年，後廢爲昏德公永慶二年，帥府安王甍，册謚僖祖仁王。子元威帥都王總政，又按累朝褒封一字、二字、三字、四字、五字。臨時出於特旨，未有定例。

裕宗保泰初年，帥府安王當國，時海宇無事，朝儀釐正，百神祀典，考閱於府堂，歷代帝王別尊爲一等次。最靈上等神，次上等神，次中等神，次下等神。上等神褒封三字，蓋六字併爲三字也。中等神褒封二字，蓋四字併爲二也。下等神褒封一字，蓋二字併爲一字。其餘冠服儀仗，各有差等。故永慶褒封本社福神始。從上等三字之例，是年一體加封。故每位奉頒六字云。至顯宗永皇帝景興元年，庚申七月二十四日爲嗣王，進封王位，加封：

延貺隆慶濬澤大王　溫柔端靜貞一公主。

謹按：懿宗徽皇帝永佑六年，帥府威王有疾，出居賞池宮，弟恩國公進封元帥，明都王總政。尊威王爲太上王。後謚裕祖順王。五月懿宗禪位于皇姪顯宗，以是年爲景興元年。尊懿宗爲太上皇，居乾壽宮，至景興二十八年，丁亥八月初八日爲嗣王，進封一位，加封：

靈慶匡佑弘濟大王　淑愼貞則端穆公主。

謹按：是年帥府明王甍，册謚毅祖恩王。子靖都王總政。至景興四十四年，癸卯五月十六日爲嗣王，進封王位，加封：

翼順助正開平大王　慧回嶶聲美晄公主。

謹按：景興四十三年，帥府靖王薨，册謚聖祖。盛王季子奠都王總政。未幾三府兵亂，奠都王降封恭國公。靖王長子端南王進都王位總政。後丙午年殉難，追謚靈王。

皇朝明命二年辛巳七月二十日奉

世祖高皇帝大振英威，開疆拓土，肆今丕膺，耿命光紹，洪圖加增。

興道輔政中等神：

今祠宇整肅，鎧仗莊嚴，靈異增著於舊時云。

古目判官潘公西岳大王玉譜錄　翰林院東閣大學士臣阮炳奉撰

左妃人公主

右皇后公主　華蓉公主

粤自南邦肇服，牛斗分疆。鴻厖氏貉龍君，娶洞庭僊女嫗姬，生下一胞百卵，開成百男，五十子，從父歸海，分治江河；五十子從母歸山，分十五部。建國君民，雄氏聖祖迭興，歷覽山川之便，驩州勝地，建立京城，義嶺形彊，重修宮殿，父傳子繼，二千餘年。皆以雄王爲號。

時潘西岳（諱岳字）神其先祖，愛州河中人。家世豪彊，財用富足，父母年外四旬，未有生育，因以悶悶不樂。一日適遇先祖諱日，父母相視，嘆息不孝之罪有三，無後爲大，又何必區區爲守錢虜哉！於是務行仁義，散財發粟，賑乏救貧，凡諸神祠佛寺，無不祈禱。

一日，母氏詣寺行香，返回，至夜半睡去，忽夢見老翁，鬚眉皓白，相貌堂堂，坐于堂上，從者數十人，劍戟森嚴，侍立左右，儼若神明之像。宣召母氏謂曰：「汝家夫婦，一般善人，多有陰德，吾許一佳童，以光顯祖宗，揚名天下，早晚已定，又何見懼？」母氏醒覺，於是有娠。滿月生一男子，身體肥白，面方耳大，足徵白老之言。父母大喜，立壇齋戒，祭告天地鬼神，以爲皇天不負福地有興，因命名之曰岳。

公既長成，材力勇猛，大有過人，文字稍長，武藝備足，兼以六甲神符，無不精貫，自以爲天下莫能出己。右聞傘圓山之峰，天造地設，鬼刻神頑，玄妙最靈，幽茫莫測，山聖有傴杖神書，多有變化之術。乃欣然相往求見。行至山下，先入謁拜山聖，見其言辭，壯其面貌，問其姓名，尊之曰：潘公。使典守古聖目錄，號曰：古目判官。情好日密，左右不離。

時世久承平，中土寧謐，雄嗜王生下皇子二十人，皆以蓬壺閬苑繼嗣無人，二女國色傾城，人間極品，長女已嫁與褚公童子，季女名媚娘公主，桃封方鎖，未卜佳期，王乃立樓于宮，前題曰：選壻樓。曰：求賢匾，將欲求賢德以遜大位。

此日，江次舟船，路頭車馬，文筆舞而龍蛇影動，星斗落江寒；武陣圍而虎豹魂驚，雷霆轟海角。然有得於此，失於彼，未有全才，莫能稱旨。山聖聞之，喟然嘆曰：「我不遠而來，則牽絲之約，舍我奚適！」遂召判官同往，行至樓前拜禮，王御駕于白鶴江，宮前歷試以諸難，山聖一一變化，法甚玄微，王命嫁之。山聖口咒神符，手指竹杖，頃刻，象馬珍奇，無不備足。山聖行禮拜謝。時皇后女姪外百人，王見判官英才特達，器宇軒昂，乃命下嫁潘公，選其美者三人，同時迎回霜凌洞。

時天下太平，國家無事，山聖與潘公畋獵，周遊笑傲煙霞時：或知水問津，載明月於分流之下時；或仁山散步，伴清風於曠野之中。凡諸停車之處，各立行宮。途行經過慈廉縣香粳社，山聖見得民風淳厚，家人給足，田禾豐登，乃建西行宮。留潘公迎三公主居之，以慰喻方民，勸課耕作。公爲人恬淡，與人偕樂，訓誨禮義，陶成風俗，人皆愛之，稱之曰翁西岳。時嗜王立嫡無人，耽于酒色，不修武備，蜀王乘釁，大舉兵來攻，以取其國。雄兵三十萬人，分道並進，一道從明靈布政州出，一道從十州崖山出，一道從驩州海門出，聲勢震動。邊書告急以聞，王與廷臣會議，召山聖問計。山聖奏曰：「自有天下以來，二千餘年，聖賢繼作，深仁厚澤，國富兵彊，蜀王不自保守，妄敢侵陵，取敗之機已明驗矣。臣請代勞聖駕，自擇將材，隨方應變，必保無虞。」王乃授以劍印曰：「閫以外，一皆制之。」山聖領命拜謝，乃薦潘公爲人勇略，可以當一面。

王拜爲岳將軍，使將士卒二萬人前進。公聞命，卽日大宰牛牢犒饗民人軍士，直向明靈州，與左右二公主進發。獨留華蓉公主守城。山聖督率精兵十萬人，引本洞左右兩肩臣爲羽翼，分道並進，水陸雙行。船頭鉦鼓，雷噉千山；路上旌旗，風吹萬壑，直向驩州。從瓊崖山各各排置已定，大發鈴聲，西岳本部，四面大戰。蜀兵雖衆，救急不暇，自相踐踩，骨積如山，隻輪不返。山聖上表奏捷。凱還之日，王大會宴享，論功行賞，尊山聖爲岳府。授西岳將軍大王，爵加左公主爲左妃，人右公主爲右皇后，餘各有差。

當此之時，君君、臣臣、夫夫、婦婦，百姓謳歌，謂之太平。霑需聖澤，優渥皇恩，香火蓋有緣矣。纔得三年，蜀王畜憤，求援鄰國，再舉兵來侵。山聖大率將士，王師所至，勢若摧枯。蜀王大敗，恐懼，修書乞和。山聖奏曰：「蜀王前日來攻，今日求和，知進，知退，若是，知賢君也。且蜀前哀牢部主，本同雄氏之宗派，不若讓之于蜀，又何必久汙塵俗。臣有飛僊變化之術，願與王碧水青山生生不絕。」王聞之，讓國于蜀。

蜀安陽王卽位，感其得國之恩，乃重修宮殿于義嶺山。准除田租，爲香火，民丁爲皀隸，奉祀雄氏，列聖以報其德。凡當時諸舊功臣，加頒福神，使前日所居社村，各立廟以祀之，歷至丁黎李陳四姓。開創護國，救民稔有靈應，各加封勅命，萬代血食，香火不絕，猗歟休哉！

重補越甸幽靈集錄全編　跋

我越立國，山奇水秀，地靈人傑，列於全球諸國，其特達英偉，固不多讓人也。惟鍾其氣之正者，斯出其人多奇，生爲名將，死爲名神；爲節義，爲貞烈，其正氣常周流，磅礴於穹壤之間。或散而爲道骨，爲僊風，具傳不朽。

觀於公餘捷記、傳奇漫錄、嶺南摭怪、桑滄偶錄諸書，槩可覩也。今李公集錄，蓋陳朝祀典所載耳。餘皆未及，缺略頗多，余不顧鄙陋，起而重補之，正公之所謂：「同好事者也。」或曰：「君之所補，英烈正氣固矣。神通眞氣，如道行、明空等傳，多涉荒唐何？」曰：「固誕矣。然世之所傳如此。」亦曰：「記其所聞云耳。」若夫會之以理，舍其怪而存其常，是在觀者，作者何預？謹跋數言于全編之後。

歲己未七夕三清觀道人吳甲豆題。

越甸幽靈簡本

吳翠華　校點

越甸幽靈

越甸幽靈集

古人曰、聰明正直足以為神、非淫神邪祟蠱得稱焉、我

皇越宇內血食諸神古來多矣、求其能顯彰偉蹟、陰相生靈、有幾哉、然其從来品題不等、或山川精粹、或人物英靈、騰氣勢於當時、挺英聲於来葉、若不紀寔、朱紫難明、因隨淺見陋聞、筆記幽部、苟好事者爲而正之、是所望也、

開祐元年己巳上澣日守大城書火正掌中品奉御安暹路轉運使李齊川頓首焚香敬序紀其本傳云、

越甸幽靈集跋

越甸幽靈集其傳来久矣、雖於諸本不無錯謬、然魚目珍珠、亦難辨白、幸而得見、亦是書寔有補、爰書備覽、倘有鄙陋誣妄訛傳、兹謹一一改正、後世博覽君子、幸其恕之、

皇朝永盛八年季秋穀旦

恩賜庚寅科進士及第翰林院校討黎飽甫題于

進修書軒

越甸幽靈集　　守大城經中品奉御李濟川編集

歷代帝王

○嘉應善感靈武大王

鎭南中郎將嘉應普濟君上、又號嘉應善感威靈普

化大王、俗號士仙王、祠在龍編城、北寧省嘉定縣三亞社、

布葢彰信大王、　布葢者夷俗國音呼本生父母也、

越甸幽靈集　序

古人曰：「聰明正直足以爲神。」非淫神邪祟濫得稱焉。我皇越宇內，血食諸神，古來多矣。求其能顯彰偉蹟，陰相生靈，有幾哉？然其從來品題不等；或山川精粹，或人物英靈，騰氣勢於當時，挺英聲於來葉。若不紀實；朱紫難明，因隨淺見陋聞，筆記幽部。苟好事者爲而正之，是所望也。

開祐元年己巳上澣日守大城書火正掌中品奉御安暹路轉運使李濟川頓首焚香敬序。紀其本傳云。

越甸幽靈集　跋

越甸幽靈集，其傳來久矣！雖於諸本不無錯謬，然魚目珍珠，亦難辨白。幸而得見，亦是書寔有補，爰書備覽，倘有鄙陋，誣妄訛傳，茲謹一一改正，後世博覽君子，幸其恕之。

皇朝永盛八年季秋穀旦恩賜庚寅科進士及第翰林院校討黎鈍甫題于進修書軒。

越甸幽靈集

守大城經中品奉御李濟川編集

歷代帝王

嘉應善感靈武大王

鎮南中郎將嘉應普濟君上，又號「嘉應善威靈普化大王」。俗號士仙王。祠在龍編城，北寧省嘉定縣（三亞社）。

布恭彰信大王

布恭者，夷俗國音，呼本生父母也。陳重興年間加封『孚祐大王』。後又加贈『索義』美字，其祠在大內上林。其弟馮駭重興年加封『靈光大王』。

趙越王李南帝

趙光復，李佛子。其祠在大安、小安二海口。

社壇帝君

周后稷也。李仁宗留心民事，時親巡幸，以省耕斂。乃立神祠，以祈豐登。追贈神號，祠在羅城南門。（一作日年門側）

制勝二徵夫人

後人有題其祠對聯云：「生前梅嶺安民勇，沒後花冠澤物功」祠在安喝社。（一作古來社雨師堂）

叶正貞烈眞猛夫人

占城主后妃媚醢也。祠在黃江僊娥步頭菈仁轄，舊霜晨月夕江口。

歷代輔臣

威明勇烈顯忠佐聖孚祐大王

李朝皇子李晃也。俗號『八郎皇子大王』，祠在木綿隘門乂安府轄。又北寧省順安府文江縣東枚義路二社奉事，至今猶有尊神墳墓在。

校尉威猛大王

李翁仲也。祠在市甜，卽今慈廉瑞香社是也。此使有對聯云：「威振北胡金有像，靈乎南越水無神。」

董天王

龍王之托生也。其祠在扶董社衞靈山。

太尉忠輔公

姓李名常傑，出于奄豎，其跡雖賤，而大越名將，如公與曄公黃五福，奉公社人者鮮矣！却皆內豎中人。而當時不敢有所議，後世無貶辭，彼獠蠻之敬畏，曄公號『黑鴉相公』。其慴服遠人，眞罕矣！其祠在嘉林社。累贈勇武敏勝大王。又贈『勇武威勝公』。

國都城隍大王

世傳神三世仁讓，居小江側。姓蘇名瀝，字大僚也。累封『靈仁普廣上仕大王』，卽龍度尊神也。祠在大內。（瓊林園中）

洪聖佐治大王

神姓范名倆也。祠在大興門外，（卽今南門）京城三司院側。今改爲弘聖祠，後加贈父兄以王爵，以表殊恩也。

都統匡國大王

神姓黎名奉曉也。勇比唐尉遲敬德遠矣！累封匡國佐聖，後號『國聖大王』。一曰都勢總統上將軍大王。祠在清化那山社。

太尉忠慧公

西湖漁人，名稽愼也。神有濟難之才，其祠在網市（西門側。）

却敵善祐助順大當江護國神王

神乃節義名臣，二張兄弟，累蒙贈封上等神。却敵二字，乃陳仁宗時加封也。後人有對聯云：「死能走魏漢諸葛，生不臣周殷伯夷」祠在安豐如月江口。

威敵勇敢顯聖小當江護國神王

神恭大當江神王之弟也。其祠在錦江縣龍眼社。（奉事）。

証安祐國王

前李朝李服蠻守杜洞唐林之地。一境獠蠻畏服不犯。賜謚『嘉通大王』，加贈『明應』二字。其祠在安所社。

回天忠烈王

世傳李校尉，不知何代人。疑李翁仲瑞香社神之別號也。稔著英靈，凡祈必應。其祠在安朗社。

果毅剛正王

神姓高名魯也。李朝立祠于昇龍城門畔，以便祈禱。加封『安陽朝廷剛毅神王』。又贈『剛毅高正大王』。又加贈『果毅剛正威惠大王』。安今其祠在武寧州大灘渡頭。

英烈正氣

東海阮將軍大王

神本忠烈之神也。姓阮諱復，陷于賊陣，投海自盡。敕民立祠奉事，稔著英靈，累朝封贈。明命年間加贈「惠澤泓洽廣潤卓偉上等神」。又加贈「敦靜旌峻凝重卓偉上等神」。

東海叚將軍大王

神本忠烈之神也。姓叚名尙，洪州人。李惠宗同乳母。當李亡，築城自守，不臣于陳，後爲阮嫩兵襲，束鎗東走，道遇冠帶叟曰：「將軍忠烈，上帝簡之。」指安仁云：「此血食地也。」尙乃下馬，枕戈而臥，百蟲啣土以葬，沒後顯靈，累朝加贈上等神。英威烜赫，至今無窮。

興道大王

神陳宗室，諱國俊。當元人南侵，不忍圖一時之富貴，誓志討賊，兩却元兵，爲當時第一名將。沒後顯靈，有能除范伯伶爲婦人有生無養之祟，餘威遺烈及人也。遠祠在海陽萬刼社是，是社興道食邑者也。

明郎大王

神本節義尊神。姓明諱郎，海陽省洪州人。黎太宗皇帝時，仕至翰林，後從聖祖敦皇帝南征，占城陷于賊陣，神乃自盡。師還，聖祖封爲大王。敕洪州民社立祠奉祀。每有祈禱，輒見靈應。山南上路商賣鄉村，應和府懷安縣山明縣、常信府上福縣，多有立祠祀之。稔著靈應，至念今香火無窮焉。累朝封贈，皇朝贈『俊良諒直端肅尊神』。

清錦節義忠烈尊神

神是節義忠烈尊神。閏莫進士，姓名失傳，志篤忠貞。當黎中興，元帥鄭松進兵，陷昇龍城，莫王謀比渡以避之。神盡節義，整飭衣冠，入殿庭間，使大兵捉解元帥前，陳說萬端，使黎兵逗遛疑阻，莫人得遂濟河之計。後受刑于清錦處，民社立祠之。屢顯神威，爲南天之福神，其祠在壽昌縣東閣坊。

靈郎大王

神本節義之神。姓吳名憲，清化人也。當陳重興間，從師討元寇。至庄羊津，官軍失利，陷陣而溺死于國事。故其正氣磅礴，顯靈南土，及後賊又至，托夢拜謁，乞附王師導引戰艦。果見効靈，寇逐大潰。加封『靈郎大王』。至今爲福神，祠在上福縣庄羊社。

保義大王

神是節義名臣，卽陳平仲也。事詳史記，平元寇間，爲國死節，本姓黎，大行之後。詠史詩集有云：「沙漠洲頭收正氣，堂堂帝胄永留芳。」

首領嗣明大王（節義嗣明大王）

富貴首領嗣明王。神乃節義名臣也。姓楊名嗣明，陳重興間加贈王爵，以旌節義。按：富貴蠻，今改爲美良縣，首領今改爲土酋也。昔李朝英宗楊嗣明以富貴首領尙韶容公主，憤杜英武之淫亂，與武帶起兵犯闕，擒英武送獄，後英武以杜后故，乃得復用。陷嗣明流罪，死後稔著靈應。今美良縣見潮社有祠宇在，累朝封贈，事詳國史。

定國王

神本節義尊神。姓阮名匐，爲丁朝定國將軍。謀討黎大行皇帝，不克而正氣英烈。死後稔著靈應，封爲福神，累贈王爵。

天上皇帝

神姓黎名機，水棠撞涇人也。後改名楊龔。時南國屬明機，見黎民苦於明虐政，思興陳氏，乃稱爲睿宗外孫，據安邦洪盈寨，有衆效萬，稱帝號，改元永天。後爲明總兵李彬所敗，夜遁不知所之。（事詳見國史）土人以其奇異，立祠祀之。此後祈雨，屢見靈驗，此與天上神王有疑似，間有云黎大行之後。

灝氣英靈

應天化育元君

神是南國大地之精。號靈幽后土木神元君。（一六勿芒神女）

廣利祐順大王

神卽龍度王，李末避諱，（改龍字爲普字）號『普度大王』。其祠在東市羅城東門，俗傳白馬祠。累朝加贈，有詩云：「撲滅祝融三度火，搞殘都護萬斤金。」

盟主感威大王

神是銅皷山神。累朝加贈，祠在京城右畔荷思寺側。

開元威顯大王

神是廣州土地之神。興隆年間加封忠武二字。

冲天威信大王

神是扶董社建初寺大地之土地神也。其祠在扶董。(建初寺側)

傘圓祐聖匡國顯應王

神是山精，神之最靈者也。事詳見摭怪集傳。

開天鎮國大王

神是藤州土地尊神之最靈者也，按南國四最靈祠曰瑞香，曰扶董，曰俸，曰藤。

忠翊威顯王

神是士令長也。號『忠誠普濟王』，陳重興年間，加封『武輔大王』。又號『忠誠普濟王』。祠在白鶴三岐江口。一說在富川良蘊江三岐處。

善護國公

高駢伐南詔時，置護國宮，立土地官座于宮側。擬守護以壯觀，村人祀爲福神。重興年間加封『善護國公』。四年，又加『靈應』二字。興隆年加『彰武』二字。

利濟靈通王

神乃火龍之精也。俗號龍君。凡入海探珠之人有所禱懇，珍珠多得。祠在欒郡布拜鄉。

朔天王

神號『毗莎天王』。又號『冲天神王』。俗謂扶董鄉三歲兒，能平殷賊，累朝封贈。其祠在衞靈山頭，俗云易服祠。

青山大王

神是三島山神也。爲五嶺之名岳，初末有神號，至黎朝始議封爲『青山大王』。以備四岳之祀，後岳嶺之精陰有女神神祠，號『三島靈應夫人』。初左將軍陳公未遇，嘗以賣油爲業，偶宿祠下，夜漏正深，忽見他祠女神自天庭歸。與本祠女神漏洩黎利爲君，阮廌爲臣，聞創南國事。及南下處宰牛人，失屠刀，怒謂衆曰：「惟上等神取我刀。」不知其刀錯在牛糞中。上帝罰此方旱三年，尚賴夫人事洩，往于該社，果得屠刀。使禱于皇天；隨澍雨免旱。乃尋黎太祖，委質爲臣。大定天下，具奏其事，神蒙封贈，載諸祀典。

乾海門三位聖娘（英烈正氣）

神是皇公主趙宋娘子也。事詳見摭怪集。祠在演州（海口）。

星郎神君

神乃天星者也。昔李太祖定鼎于昇龍城，工役不給，難卜完期。且値暑甚，帝患之，乃禱于天地，祝其默相。後夜見一星君，其大如虹，照地閃爍，人功倍初。城完後，封爲『星郎神君』，立祠奉祀。稔著靈應，爲一方之福神，其祠在羅城外。

靈朗神君

神乃龍種水族之長者也。昔貉龍君生一胞百男。五十男分治南國，五十男從父歸水府。神處水濱，旱日祈潦歲禱，屢見靈驗。較諸十八龍神爲最靈者也，累朝加贈大王貴爵焉。

按：靈朗星郎靈郎三位神號，一爲水精，一爲天神，一爲正氣英烈。從前國音廻護，頗有所處，觀者察之。昇龍城雜記俗傳云：「李朝皇后夢見神乞投胎，遂生太子，最爲聰慧。」一日陛辭，懇歸水國，願立祠于江側，庶可効靈。至今累蒙封贈，祠在江岸羅城西畔伴。

黃頭銳水大龍神王

滄海効靈光威典　華衮累蒙光祀典　妖孽陰消占甲冑

祇園長護耀禪林　太平默相李江河

神乃灦氣英靈。昔李太宗（天威聖武年間）御船遇于富原之江，屬于黃雲津次，夜登岸宿于慈悲寺。夢見神人稱爲黃頭銳水大龍神，乃四瀆之長。今聞國家欲平占虜，願爲前驅，以帖波濤。帝寤，命使致祭，並飭塑像奉祀。及帝親征占城，果擒占主乍斗于陣，八誓佛城俘其妻媚醢以歸。

至菘仁黃江霜晨，媚醢自投于水而死。凱還再加銀賞嗣此遠近之人，祠下祈禱，稔著靈應。後有學士題其祠云：「憤虐敢謀兵濟險，効靈常誌水無波。長鮮投首傳舟響，節義從夫且奈何」。

桂海神女澄澈夫人

神乃海口陰神也。誤作風波，被謫塵寰六十載。當陳重興年有元寇，帝夢神著朱衣黑裙，拜謁陛城曰：「妾是桂海神女，歷道其由。茲欽謫世，不願托胎，故請管領瀘喝水流。今聞國家有警，願贊丕功，以舒國難。」帝覺，乃設壇祈禱，懇神相佑，共成武功，立祠祀事，血食無窮。此後官軍所向，舟行如箭，果却元兵。帝回京師，御船泛于富原之江，又夢神女朝服拜賀，且曰：「南朝自此太平矣！」帝寤，追思前日祈禱之詞，乃於岸江立祠，使民奉事，封神號『靈仁公主』。加贈『澄澈夫人』。嗣後遠近人民每祈輒應，商客往來，此流風傳靈應，頗于祠下懇乞平安。雖有風波，亦賴無事。由是近年秋月江水漲滿，舟船競集市肆，每于祠前處薦金銀禮物，仰伏神威，誠水路最靈祠也。英威烜赫，為南天第一上等神，及黎太祖皇帝當平吳間，自瀘江行營，向東開城。官軍遇于祠下，聞其靈異，焚香致祭，懇祈為國効靈。曰：「此虜荼毒生民，乃神人之共憤，願神默相以濟于艱。」此後師行屢見顯應。順天年間，天下大定，遣官致祭，並賜金扁『水國英靈』四字。黎中興間，有水軍督視來謁，題詩云：「謫世欽承六十年，喝瀘江曲樂天仙。禹門既為風姨誤，炎檄寧容胡騎喧。南服江山皆相佑，東流棹櫓亦周旋。休將粉脂鬚眉諉，水國英靈孰與先。」恭有檄天朝嘗為僞莫援也，至今香火無窮焉。

后土仁慈威靈夫人

神乃大地灝氣最靈神也。昔貉龍君將五十男歸海分沼各處，神不聽從。曰：「南國一隅，雖爲僻陋，然自有天地，便有山河，有山河即有主之，豈恃銀漢之派？以力兼併。」貉龍君詞屈，推爲后土。自是瀘喝江河稔見靈異，俗號后土神女。唐高駢以術壓之，不得，乃立祠奉祀。陳元豐間加封『靜潔威靈夫人』。重興年托夢於仁宗皇帝曰：「妾乃威靈仁慈夫人。感先君澤，請上帝命，將南天鬼部，會昭陵兵馬，以資戰陣。」後果克捷，元虜有司具奏，賊敗，夜石馬足皆沾泥，當年賀捷有詩云：「社稷兩回勞石馬，山河千古奠金甌。」蓋稱鬼神默相也，後護登秩，加贈南天后土聖娘。並命有司以時致祭，重光間，加封上等最靈神女。後有學士至此致敬題其祠。至云：「告急書來此虜兵，泰山壓卵怯風聲。思賡擬報絲綸重，粉黛寧爲矢石輕。北伐徵王羞賈勇，南遷趙季讓騰靈。鬼神默相光詩賀，一字之褒萬古榮。」至今稔著靈應。（按昭陵乃陳太宗陵也）

白石山靈靜鎭睿智神君

神乃灝氣英靈尊神也。山屬清化大賴江北，常有雲氣於其間。山有大王，稔著靈異，能作風雨，以發天令。古傳神掌天樂教，所在典樂，遞年祈禱，稱爲樂教尊神。陳順宗昌符庚午三年，命都將陳渴眞領衆征占城，渴眞陛請命有司，祈于山神，懇神助順，默相戰功。軍至海潮，當交鋒間，忽有神風一陣，送火器串占主制蓬莪船板獲其首。獻捷，後議加封山神謚號。

上皇夜夢神人來謁，自陳爲白石山神。昨有戰功，掃除占虜，倘預褒封，願得寰畿州邑，庶可効靈。上皇夢覺，召禮部臣歷語以故，命于山南路立祠奉事，封爲睿智神君。重興年間，加封『靜鎭神王』，嗣後累贈『南天長壽白石山靈靜鎭睿智神君』。黎中興順平年大師鄭檢督兵拒莫迎，至于喝岸祠，聞山神英靈，設壇祈懇，祝其相佑，遂破莫兵。欽贈『睿聖大王』。此後加封岸玉異格，祠下每禱輒應，禮部尚書來謁品題云：「奇峯節彼鎮南天，灝氣堪分造化權。顯應炳彪山氣見，英靈烜赫谷風傳。寇邊戈甲沈流水，逆賊鯨鯢葬大川。不負吾皇華袞贈，將來願篤保黎元。」至今香火無窮焉。

桂海玉山靈猛大王

神乃山精灝氣尊神也。此山屬清化玉山縣。陳仁宗重興間，元兵南侵。帝親征，住于行營，夜夢帶甲胄，以軍禮見曰：「神乃桂海玉山之神。奉上帝命，將部曲屬桂海神女，掃除北虜，以奠社稷。事如旣濟，幸勿相棄。」帝寤，焚香以祝，勉成功業，加封謚號，香火億年。及後平元，加封『靈大王』，仍屬桂海神女。與南天河伯二位管領南方鬼部官軍。及黎嘉泰十五年，立壇禱于國內山川靈神，祈滅莫逆，奠安兆民。夜元帥鄭松夢見神人將水族部曲怪異，會于軍營。相接語曰：「神乃靈猛神王。忿彼叛逆，聞將軍來，故來相助。」雖曰：「陰陽二道，共勉忠貞，以清妖孽。」元師驚覺，知爲神人來助，誠懇助順。是日，日色光明，遂進兵，果復昇龍城。後有禮部臣齎金幣訪本祠致祭，歷道顯靈事跡，恭題其祠云：「後先神女平元寇，左右能臣復帝京。嗣後鄉村增敬畏，億年萬古庇生靈。」又撰對聯云：「海國波濤光桂海，山靈雲霧壯濃山。」當年士夫傳誦焉。

徽號知西嶺兼南海天上神君（有曰徽號字為玉岸）

神乃天相顯靈之神者也。當陳興隆間，適天旱暵，築壇祈之。帝夢應天化育后土夫人奏上曰：「本部有勾芒神，能興雲致雨，伏望懇禱，以濟蒼生。」上覺，命有司享之，果得大雨。敕封『天上神君』，遣風水者，往山南路擇靈地立祠奉祀。並使有司以時致祭，禮用齋素，累朝禱雨；稔見靈應，累加封贈 知西嶺兼南海。刻文于石，以紀徽號。故稱徽號『玉岝知西嶺兼南海天上神君。至今禱雨最靈驗焉。

白馬靈大王

神祠懷德府壽昌縣。昔李太祖築昇龍城，謀議未定，夢一神人前謁且曰：「神乃此間靈神，聞欲築城，願隨馬跡而築，可以永建不拔之基。」(作駢) 帝覺，使人候神顯應，日已晡，見一老人鬚眉皓白，騎一白馬，盤繞其地，因築城都焉，立祠以祀，因號『白馬靈大王』。祠嗣後祈禱，最爲靈應，歷朝封贈，至今香火無窮焉。

使君吳王尊神

神乃南國名地之精也。神在路頭，素爲靈應。所在地方，(應和府山明縣順安府文江縣金牛社) 二三月間，常有大風雨作，人指爲靈神顯靈。昔黎聖宗皇帝巡方至此，偶值澍雨，急于本祠祈禱，隨見奏効。帝嘉稱此祠占得山川秀氣，故應最靈，符籙道士頗自袖手。是夜帝夢神謁，且云：「神前代後，吳王之子也。憤吳氏中僨，乃據平橋，圖復先業。沒後，管領南方山川，久欽天命，奉行十二年一方之禍福。此方之民多蒙保佑，今仰黃屋光臨，故來拜謁，幸燭陰陽二路，忠貞一心，辱爲前進。」語畢，倏然帝寤，以夢語左右，乃命撰取當年行譴神號，加贈爲『吳公神君』。並飭修理廟宇奉祀，嗣後英靈有加，累朝封贈爲一方之福神。(又謚吳公大王)

廣博大王

神乃水神。常顯靈于富川懷安山明等縣，外渡三岐江富川縣靖福社七村老叟相與立祠，福祀爲福神。居民所禱，稔著靈應。於黎聖宗皇帝洪德年間，親征占城，特命官軍就于本祠所禱，並取奉事神旗，祈以効靈。後果擒獲占主，嗣後累蒙封贈，皇朝明命。二年加贈泱洽上等神。

寧東大王

神乃五湖之神。誤遭天譴，謫生于南國，遂托生于海陽炭山。今頭山八社，有祠在焉。其母懷胎，常見奇夢，以爲不祥。幼時姓阮名選，及長乘黎朝中潰，據海陽一境，歷年始肯束身歸朝。皇王以不死待之。死後顯靈，所在祀之黎末常考課百靈，以定次秩，寧東王能移龍舟，自西湖至珥河中流，復移龍舟回舊處。臣民嘖嘖稱奇，本祠近年以鬪牛奉事，以象武功也。（本處固勾歌謠浪，呥挨奔半兜兜夢，過朐參觽樓時衛，誠一方勝會也。）

義江灝氣正眞大王
水國顯應明德大王

二位是水神，貉龍君之男也。二位管領水族鬼部，常顯靈于義柱江岸，所在有祠。及陳重興年，陳仁宗命將軍阮蒯拒元寇，遇其地，夢二神歷道其由。有曰：「今韃虜入寇，勉共討賊，以捍國患。」賊平，阮蒯以軍功受賞賜，蒯路爲食邑，具奏前夢，敕封二神。一爲『義江灝氣正眞大王』。一爲『水國顯應明德大王』。東安安員社祠下最靈。安溪村香火無窮。

按：碎語李太宗天威聖武五年，二神誤缺朝天大禮，乃被天譴謫降塵寰，托為江岸家兒。其祠廟宇頹弊，景物蕭條，後神共歸水府，祠宇又見，烜赫威靈。事涉怪異，姑籙以備考云。

大飛石神祠

事出大越史記。黎朝中興年間，世宗毅皇帝光興三年，入安省瓊瑠縣東回社有大飛石，不知何自而來，在水中躍出平地，隔水百餘丈而止。土人以為靈異，立祠事之。後竟因大風雨，冠去止于他處。山南上路彰德鄉有祠在津頭。此與白石靈，本別神號。觀者宜細玩。（封睿智君、封端莊公主）

勇略王

黎紀淵皇帝年間，有黃義勝，金洞縣紅雲社人，中興間，累平廣南順化寇，與平僞莫據高平，四十歲卒，追謚勇略。後贈王爵。加封福神。使民奉祀，俗號『勇略昭忠大王』。寰城鄉村，多有立祠奉事，事詳野史。（又號『雄威大王』）

殭暴大王

山南下路人也。今有祠在，初殭暴王性敦厚誠敬，常奉事本土土祇之神，家設神位。一日所行之事，朝夕必告，積之歲久，神著顯靈。吉凶禍福，神每指告。殭暴挾王勢褻，遂成殭暴，褻慢天地，無所畏忌。誤干天聽，準霹靂神來，乘雷車，因風雨而擊之。神召殭暴王而歷道其事，強暴王聽了，魄落心驚，不知措手，坐以待斃。土祇神曰：「我有妙訣，能使汝不畏雷神，永迫鶴算。」彊暴王拜請其訣，神曰：「霹靂之神，所畏者雄鷄耳。汝宜買老雄鷄而養之，汝屋上重蓋流涎菜，俟風雨至，立於屋下，執杖以伺。一見雷神墜下庭前。口喚鷄來，手持杖擊，可以無虞。」彊暴如其言，果獲雷神，後王殺鷄食，誤不享神，神怒，及王春耕來機累柝，王懇神問計。神來告曰：「何不納勢爲王聞神教。」遂斃于田，後極英靈，常奪天機，爲風致雨，捍患除災，祀事之民多蒙蔭庇。

附籙：歷朝靈顯公主神女列位。

月娥公主（俗傳天仙也，顯靈李朝）

德合無疆（坤文言）以祉元吉（泰九五）芳娥嬋娟廣寒公主，上天季妹仙娥也。乃西嶺陰神，顯靈南海。

仙妹天家公主

俗傳天女也，祠在仙妹。

阿娘公主

俗傳雷部神女。陳英宗時遭旱，祈雨得効加封公主。累贈『雷部神女阿娘英聲公主。』

欽差公主

陳英宗女也。祠在宣光城頭江中山嶺。

仙娥公主

欽差妹也。

水府神女昭明公主

世傳黃江陰神也，初管喝江溪流神女。黎太祖平吳間，官軍駐近本祠，聞神英靈，祈神相佑，屢見靈効。加封『昭明』，今為福神。

僊容公主

雄王女，褚童子尊神之令婦也。

明娥公主

雄王五世女也。

媚娘公主

雄王女，傘圓山尊神之令婦也。

媚珠公主

安陽女，武趙子仲始之令婦也。有洗玉事，從夫之義可嘉。

杲娘公主

趙越王女，李南帝子。雅郎之令婦，婦道可嘉。

李娘公主

李南帝女，服蠻之令婦。

昭容公主

李仁宗女，美良首領。（俗號官郎）楊嗣明令婦。（祠在見潮社）

瑞天公主

亦李仁宗女也，祠在諒山城頭。

昭陽公主

紹容公主，李英宗女也。後爲食邑福神。

永花公主

天仙奉帝報威明王，報胎於李徽慈皇后夢也。祠在彰德上林，初有祭田國祿。

天瑞公主

陳仁宗之姊。出家居安子山紫霄峯下，病革時，仁宗囑曰：「先往冥間，如有問事，曰：『須我弟』。」竹林大士且至，後極英靈至李惠宗，自號惠光大師。

瑞明公主

李英宗女也，食邑高平省，今爲福神。

芳容公主

壬囂女，救崔眞人難。

天眞公主惠直公主

陳英宗鍾愛女也，有禮讓風，不願嫁人，勉全孝敬，常作詩以自勉。「爲子當知盡孝思」之句。沒後顯靈爲食邑福神，一祠在高平省，一祠在彰德縣古鄂社。

天徽公主天嘉公主

陳簡定帝女爲明所擒，途中自盡。今爲福神，祠在湘江岸。

寶華公主

黎大行女，入林谷間避難。

天珍公主

上珍公主，陳英宗女，爲扶烈社福神。

徽寧公主

陳明宗女，嫁季釐，生漢蒼，追謚『太慈皇后九天玄女幽默誼慈夫人』。

祝融氏神也。陳英宗時，天旱亢，民多被火患，設壇以禱，夢二神女曰：「二神乃祝融氏神女也。聞君王盡至誠，故來見。」帝命立祠祀之，加封爲『天女火神』。

崑崙烈焰火德神女

世傳稱爲火神祠，顯靈山南上路，偶有火患，祈之輒驗。

柳杏公主

南國之英靈神女，加封制勝大王。（更二夫）

天極公主

李惠宗后，後歸叔度。

昭聖公主、順天公主

李惠宗女，陳皇后，一歸輔陳。一爲安生王婦，後立爲皇后。

天寧公主

爲良醫鄒庚使與李裕宗烝，以助陽氣。

應瑞公主

名珪，昭聖皇后家輔，陳所生，汚辱天潢。

玄珍公主

李藝宗女初嫁占主，後再與克終通。

月山公主

陳明宗女，適大來社寨主吳引，後以夫恃富，通淫別女，乃歸尋薨。

婀金郡主

陳裕宗宗室貴人，孀居，後爲烏雷所汚。

桂海神女祭文有句云：

「赤壁之風波阻渡，陰扶火鼎峙三分；公山之草木皆兵，默相金行延一統。」又對聯云：

「赤壁風波扶火鼎，公山草木相金行。」

如月狀元撰所奉事神祇，祭文有句云：

「伯夷生不臣周，甘飲山中之蘗；諸葛死能走魏，浪吟天上之詩。」

有對聯云：「節義至今名不朽，奸雄遇此愧無顏。」

高密下中國王祠對聯：

「分封思報天家眷，窃字字寧從人欲私。」上福東究祉行軍王對聯：「茅苴周室文侯命，華袞春秋季子來。」「自此徂東，究竟威靈無敵；洋乎在上，福綏黎庶難量。」

青威高密社佐天王祠對聯：「采邑追思王庶子，苑章敍保我黎民。」

「萬古廟堂水碧山青威望在，千秋賽謝德厚功高密禱靈。」

越甸幽靈集終

國立中央圖書館出版品預行編目資料

越南漢文小說叢刊．第二輯／陳慶浩、鄭阿財、陳義
主編．--初版．--臺北市：臺灣學生，民81
冊；　　公分
ISBN 957-15-0461-0（一套：精裝）

868.357　　　　81005761

越南漢文小說叢刊　第二輯

神話傳說類　第二冊

⑤粵甸幽靈集錄
⑥新訂較評越甸幽靈集
⑦越甸幽靈集錄全編
⑧越甸幽靈簡本

主編者：陳慶浩　鄭阿財　陳義
出版者：法國遠東學院
本書局登記證字號：行政院新聞局局版臺業字第一一〇〇號
發行人：丁文治
發行所：臺灣學生書局
台北市和平東路一段一九八號
郵政劃撥帳號〇〇〇二四六六八號
電話：三六三四一五六
FAX：三六三六三三四
香港總經銷：藝文圖書公司
地址：九龍偉業街九十九號連順大厦五字樓及七字樓
電話：七九五九五九五

中華民國八十一年十一月初版

86802-2

ISBN 957-15-0461-0（一套：精裝）
ISBN 957-15-0463-7（精裝）